Musa'nın Gül'ü

Togan Yayınları	08
Musa'nın Gül'ü	
Araştırma İnceleme	08
Yazarı	Ergün Poyraz
Kapak Tasarımı	Togan Grafik-Tasarım
İç Düzen	Togan Yayıncılık
Baskı	Çalış Ofset (0212 482 11 04)
1. Baskı	Mayıs / 2007
2. Baskı	Mayıs / 2007
3. Baskı	Mayıs / 2007
İSBN	978-9944-337-08-3
Togan Yayıncılık	BİZİM AVRASYA YAYINCILIK kuruluşudur.
Bizim Avrasya Yay. Turz. İnş. ve San. Tic. Ltd. Şti.	Klodfarer Cad. Memişoğlu Ap. Nu: 27/2 Sultanahmet / İstanbul Tel: (0212) 518 22 94 / 518 23 28

Tüm hakları saklıdır. Bu kitabın tamamı ya da bir kısmı 5846 sayılı yasanın hükümlerine göre kitabı yayınlayan TOGAN YAYINLARI'nın ve yazarının izni olmaksızın elektronik, mekanik, fotokopi ya da herhangi bir kayıt sistemi ile çoğaltılamaz, yayınlanamaz, depolanamaz.

Musa'nın Gül'ü

Kemal'in Askerleri Dr. Necip Hablemitoğlu ve E. Bnb.İhsan Güven'e

Önsöz

"70 yılın çok büyük yanlışları olmuştur. Çukurca'da dağa "Ne mutlu Türküm diye" yazmışsınız. Hala Diyarbakır'ın ortasında bu tür sloganlar yazılıdır. Maalesef resmi ideoloji, Türk milliyetçiliği şeklinde kendisini, ırki taassup olarak tezahür ettirmiştir.."

Şeklinde konuşan Abdullah Gül bu konuşmayı sonradan öğrendiklerinden değil, Siirt'ten göç ettirilmelerinden daha önceleri içlerine ekilen kin tohumlarının yeşermeleri sonucunda yapmıştır.

"Dini bir dönem kullandık dediği" kardeşinin açıklamalarından gördüğümüz gibi dini bir maske olarak kullanmışlardı. Daha sonra arkalarından hiç ayrılmadıkları İngiltere, İsrail ve ABD Büyükelçileri ile Ajanlarının yönlendirmeleri sonucunda

Barzani ve Talabani ile dost, bizim insanlarımızla adeta düşman olmuşlardı.

Abdullah Gül, "Batı medeniyetine yenildik" derken, 14 Mayıs 2000'de genel başkanlığa aday olduğu Fazilet Partisi Genel Kongresi'nde bastırdığı kitapçıkta Cumhuriyet dönemini: "Bizim için ortada bir mağlubiyet var, bunu aynen kabul etmemiz gerekir. Konu medeniyetlerle ilgili. Karşılaşma adeta medeniyetlerin karşılaşması. Bir Batı medeniyeti var bir de başından beri ileri sürdüğümüz tezler var. Bence bu, hüzünlü bir yolculuk. Ortada açıkça bir mağlubiyet var." Olarak aktarıyordu.

6 Şubat 2005, Condi diye hitap ettiğini söylediği Rice'la yaptığı görüşme sonunda "Amerika kesinlikle doğru yolda. Dünya barışı için son 50 senede dünyada en çok Amerikalılar kendi insanlarını kaybetmişlerdir" diyebiliyor, Telafer'de Amerikalıların katlettiği soydaşlarımızı görmezden geliyordu.

13 Mart 2006, Kızılcahamam vekillere verdiği brifingde ise "Biz İran'ın nükleer programıyla ilgili olarak BOP kapsamında ABD ile birlikte hareket edeceğiz. Amacımız İslam ülkelerine özgürlük ve demokrasi getirmek" diyordu. ABD'nin bu proje ile 24 İslam ülkesinin sınırlarını değiştireceğini, zenginlik kaynaklarını ele geçirme hayali kurduğunu bile bile.

10 Mayıs 2000 tarihli, Elazığ'da yayınlanan ve Erbakan'a yakınlığı ile bilinen El-Aziz Gazetesi'nden Vahit Şekerci; "Gül Amerikan vatandaşı olduğunu neden gizliyor" başlığı altında Abdullah Gül'ün de, Tayyip Erdoğan'ın da ABD vatandaşı olduğunu yazıyordu:

"1997'nin başlarında, önce Tayyip Erdoğan Amerikan rüyasını gerçekleştirdi ve ABD vatandaşlığına geçti. Erdoğan'ı daha sonra Abdullah Gül izledi ve böylece Gül için ABD serüveni başlamış oldu..."

Bu olayı hocalarına sorduğumda acı acı gülümsedi ve başını salladı. Zaten kitabı okuduğunuzda Abdullah Gül ve Tayyip Erdoğan'ın ABD vatandaşlığının daha da ötesine geçtiğini göreceksiniz. Kaldı ki, bu ülke daha önce de resmen ABD vatandaşı olmuş Başbakanlar görmekle birlikte, önemli olan ABD çıkarları konusunda gösterilen hassasiyet ve bugün itibarıyla ABD vatandaşlığı iddiaları hakkında hiçbir dava açılmaması ve kamusal şahsiyetler hakkındaki bu savların kamuoyu ile paylaşılmasındaki kamu yararıdır.

Abdullah Gül, 19 Ocak 2007 tarihinde stratejik müttefikimiz olarak lanse edilen aslında stratejik düşmanımız olan Amerika için övgüler düzüyordu:

"ABD ile ilişkilerimiz önemlidir. Dünyanın süper gücünün gündem maddeleri bizim de gündem maddelerimizdir. Aramızdaki işbirliğinin stratejik boyutta olmasının anlamı, bu meselelerde ulaşılması gereken hedeflere ilişkin görüşlerimizin örtüşmesidir."

Musa'nın dikensiz gül bahçesindeki yeni tomurcuklarıyla buluşmak dileğiyle...

Ergün Poyraz 29.04.2007-Ankara

Muhterem milletime tavsiyem odur ki, sinesinde yetiştirerek başının üstüne kadar çıkaracağı adamların kanındaki ve vicdanındaki cevher-i asliyi çok iyi tahlil etmek dikkatinden bir an vazgeçmesin!..

M. Kemal Atatürk

Abdullah Gül'ün Seyir Defteri

Gülük İmamı Ahmet Hamdi Gül ile Adeviye Gül evliliğinin ardından çok geçmeden 29 Ekim 1950 tarihinde Kayseri'de bir erkek çocukları oluyordu. Çocukları 29 Ekim'de doğduğu için bir adını da Cumhur koydular. Ancak Cumhur ve yakın çevresi bu adı hiç beğenmeyince Abdullah isminde karar kıldılar. Cumhur adı 2 yaşındaki bir fotoğrafın arkasında kalmıştı. Aile bu olayı oğulları Başbakan ve Cumhurbaşkanı adayı olunca hatırladı. Gazetelere servisler yapıldı.

Hatırladıkları sadece bu kadar da değildi. Yıllarca Kayserili olduğunu söyleyen Gül ailesi aslında Kayseri'ye 1915 yılında Siirt'ten göçmüştü. Aile; çevreye kendini Arap olarak tanıtmıştı. Oysa Araplıkla hiçbir ilgileri yoktu. Tayyip de Siirt'li olan eşinin Arap olduğunu ilan etmişti. Ancak nüfus kayıtlarından ulaştığım belgelerde Emine Erdoğan'ın Yahudi olduğunu belgelemiştim. Tayyip Erdoğan'ın danışmanı Akif Beki'nin yazdığı "Erdoğan'ın harfleri" adlı kitaba göre Erdoğan Musa'nın soyundan geliyordu.

Aynı kitapta **Erdoğan**'ın **Erbakan**'ın yanında yetişmesi adeta **Firavun**'un yanında yetişen **Musa** ile özdeşleştiriliyordu. Bu özleştirmede öyle bir uyum vardı ki, bir insanın Yahudi soyundan olduğu ancak bu denli mükemmel anlatılırdı. Kitap da, sadece Musa'nın soyundan gelindiğini itiraf etmekle de kalınmıyordu. Musa nasıl Firavun'un koynunda yetişiyorsa, Erdoğan'ın da aynı Musa gibi Erbakan'ın yanında yetiştiği vurgulanıyordu...

Kitap'ta Abdullah Gül, Musa'nın kardeşi Harun olarak şu sözlerle açıklanıyordu:

"...Hayatından bir başka önemli ayrıntı da Hızır'la çıktığı yolculuk. Bu yolculukta büyük bir sabır sınavından geçer. Dayanamayıp itiraz ettiği olayların hikmetini her seferinde sonradan anlar ve yanıldığını, aslında şer gibi görünen olayların altında daha sonra büyük hayırlar çıktığını görür. Musa peygamberin en önemli özelliklerinden biri de şu: Peygamberliğini kardeşi Harun'la paylaşır. Bunda kendi arzusu da önemli rol oynar çünkü kardeşi Harun'u daha yumuşak dilli bulmaktadır. Ama İsrailoğullarını Mısır'dan çıkardıktan, Kızıldeniz'in karşı yakasına geçirip özgürleştirdikten sonra, kardeşi Harun'la arasını açan bir olay yaşanır. Kavmini çölde kardeşine emanet edip Sina Dağı'na çıkar ve on emirle geri döndüğünde onları altından bir buzağıya tapar halde bulur. Aceleci davranıp kardeşini suçlar ve herkesin gözü önünde sakalını çekip onunla kavga eder, halkının karşısında Harun peygamberi küçük düşürür. Kardeşinin suçsuz olduğunuysa ancak daha sonra anlar.

Onlar peygamberliği bunlar iktidarı paylaştı..."

Akif Beki bu açıklamaları Tevrat'taki bilgilere ve Yahudi inancında yer alan bilgilere göre yapıyordu. Beki açıklamalarına şöyle devam ediyordu:

"...Ana hatlarıyla **Musa** peygamberin kıssası böyle nakledilir. Bir Hurufi için, Tayyip Erdoğan'ın yaşam öyküsüyle bu kıssa arasında paralellikler kurmaksa hiç de zor görünmüyor. İşte Tayyip Erdoğan'ın serüveni:

Cumhuriyet tarihinin en önemli siyasi şahsiyetlerinden birinin, **Necmettin Erbakan**'ın yanında yetişiyor. Onu liderliğe götüren süreç, kazara işlediği bir suç, iyi niyetle okuduğu bir şiirle başlıyor. Sürgüne değil ama cezaevine gidiyor, halkın umudu olarak geri geliyor. Siyasi yasağı önce büyük bir kötülük gibi gözüküyor, sonra Erdoğan için yeni bir başlangıca dönüşüyor. Kendi yolunu çiziyor. Kaderin garip cilvesine bakın ki (böylesine, Hurufiler ancak tevafuk diyebiliyor), yasakları başladığı yerde, Siirt'te bitiyor. Yasaklandığı yerden başbakan olarak çıkıyor.

En çok oligarşinin korkularından çekiyor, öcü gibi gösteriliyor, siyasi yaşamı boyunca bununla mücadele ediyor. Ve oligarşinin korkuları (bu anlamda kehanet) gerçek oluyor, Erdoğan iktidara geliyor. Ama onu son umut ve kurtarıcı olarak gören halkının oylarıyla.

Ve Musa peygamberle **Tayyip Erdoğan**'ın yaşamındaki en inanılmaz paralellik tam da bu noktada ortaya çıkıyor. Tayyip Erdoğan iktidarını **Abdullah Gül**'le, en az 30 yıllık bir geçmişe dayanan yol arkadaşıyla paylaşıyor.

Hemen burada İbn Arabî'nin Musa peygamberle ilgili yorumuna değinmek gerekiyor. Çünkü içinde, Tayyip Erdoğan'ın Abdullah Gül'le ilişkileri konusunda çok çarpıcı bir ipucu barındırıyor bu yorum.

İbn Arabî, önce Musa peygamberle kardeşi Harun'un arasını açan olayı ve İsrailoğullarının gözü önünde Musa peygamberin aceleci davranarak, aslını araştırmadan suçladığı kardeşi Harun'u nasıl küçük düşürdüğünü hatırlatıyor. Sonra da, sabırlı davransa, Musa peygamberin İsrailoğullarının sapkınlığında kardeşi Harun'un suçsuz olduğunu göreceğini söylüyor.

Bu yorumdan yola çıkan bir Hurufi, Tayyip Erdoğan'la Abdullah Gül'ün de aralarındaki iktidar paylaşımında benzer sorunlar yaşayabileceklerini söyleyip, Erdoğan'a fitneciler karşısında sabır tavsiye edebilir..."

Tayyip Erdoğan 24 Nisan 2007 tarihinde tam da Ermenilerin sözde soykırım iddialarının yıldönümünde, AKP'nin Cumhurbaşkanı adayını "Kardeşim Abdullah Gül" sözleriyle açıklıyordu.

Gül'ün Uçağında Soykırım Yalanı Propagandası

Abdullah Gül'ün ABD dönüşünde bindiği uçakta Ermeni iddialarını içeren CD'ler dağıtıldı. Lutfhansa Havayolları'na ait uçakta koltukların arkasına konulan Time dergisinin arasında ilgili CD'lerin de yer alması yolcuların tepkisini çekti. 11

Şubatta yaşanan olay basına "yolcular sinirlenerek durumu Gül'e aktardılar, Gül inceleyeceğini söyledi" şeklinde yansıdı. Time dergisinin dağıttığı CD'ler Abdullah Gül'ün önüne 2 Şubat'ta bir televizyon programında da çıkmıştı. Abdullah Gül kendisine konu hakkında soru yöneltilince derginin tutumunu Hrant Dink cinayetiyle bağdaştırarak cinayetini Türkiye'ye zarar verdiğini söylemekle yetindi.

CHP Aydın Milletvekili Özlem Çerçioğlu 26 Şubat'ta TBMM Başkanlığına sunduğu soru önergesinde "Ermeni soykırımının yapıldığına ilişkin CD ve tanıtım kitapçığı dağıtılmasına izin verilmesi konusunda diplomatik girişiminiz oldu mu? Uçakta tepki vermeyerek, seyahat boyunca size tepkilerini yansıtan Türk vatandaşlarına, tepki vermemeleri için telkinde bulunmanızın sebebi nedir? Bu konuyla ilgili olarak Dışişleri Bakanlığı olarak ne yapmayı düşünüyorsunuz?" diye sordu.

Abdullah Gül soru önergesini cevapsız bırakırken Dışişleri Bakanlığı sözcüsü Levent Bilman 1 Mart'ta yaptığı açıklamada, Dışişlerinin konuyla ilgili bir eylem planı olup olmadığına dair bilgi vermezken, vatandaşların Gül'e tepki gösterdiği iddialarının gerçeği yansıtmadığını söyledi.

Abdullah Gül, Siirt kökenli olduğunu gizlemiş aynı zamanda Devlet Bakanı Beşir Atalay'la akraba olduğunu da hiçbir zaman açıklamamıştı. Ondan hep "En yakın arkadaşım" diye söz etmişti. Beşir Atalay da Gül gibi Siirt göçmeni bir ailenin çocuğuydu. Onlar da kendilerini Tayyip'in eşi gibi, Gül ailesi gibi Arap olarak lanse etmişlerdi.

Abdullah Gül, Siirt göçmeni olduğu yanında yıllarca içinde taşıdığı Yahudi ve Amerika aşkını dahi gizledi. Refah Partisi Genel Başkan Yardımcılığı sırasında, partinin İsrail karşıtı söylemlerinin ve tavırlarının yumuşatılması sonucunda ABD'de itibarlarının artacağı şeklindeki söylem karşısında adeta küplere biniyor şöyle konuşuyordu:

"Diğer parti liderlerinin yaptığı gibi Amerika'da kapalı kapılar ardında konuşmalar yapmadık, yapmayız da..."

Gül şöyle devam ediyordu:

"Uzlaşacağız diye değerlerimizden vazgeçecek değiliz..."

Bu sözleri söyleyen Gül, ABD'lilerle belki binlerce kez kapalı kapılar ardında bir araya geldi. 21 Ağustos 2001 tarihinde Milliyet Gazetesi'nden Derya Sazak'la yaptığı söyleşide ise; "Dini ağırlıklı siyaset yapmanın, dindar insanlara ve Türkiye'ye faydası olmadığını gördük... Doğrusu bir iktisatçı olarak adil düzeni işleyebilir bir model olarak görmedim" diyordu.

Abdullah Gül, ilköğrenimini Kayseri Gazi Paşa İlkokulu'nda tamamladı. Ortaokulu, Nazmi Toker Ortaokulu'nda okudu. 1967-1968 eğitim döneminde Kayseri Lisesi'nden mezun oldu.

Kayseri Lisesi'nden pekçok ünlü işadamı, sanatçı, bilim adamı, edebiyatçı ve siyaset adamı çıkıyordu. Bunlar arasında; Merhum Cumhurbaşkanı Turgut Özal ve kardeşi Korkut Özal'ın yanısıra Prof. Turhan Feyzioğlu, Osman Bölükbaşı, Saadettin Bilgiç, Halil Özsoy, M. Bahattin Yücel, Mehmet Yazar, Tarhan Erdem, Eşber Yağmurdereli, Yekta Güngör Özden, Prof. Adem Baştürk, Prof. Fuat Yavuz, Prof. Mehmet Emin Tuna, Prof. Feyzi Feyzioğlu, Prof. Ahmet Canbaş, Prof. Hanifi Özcan, Dr. Ziya Özel gibi isimler yer alıyordu. Edebiyat ve müzik dünyasından Cevdet Kudret, Behçet Kemal Çağlar ve Emel Sayın da Kayseri Lisesi'nin sıralarından yetişen isimler arasında bulunuyorlardı.

Kayseri Lisesi 13 Eylül 1893 tarihinde bugünkü Kurşunlu Camii civarında Seyfullah Efendi konağında "Derece-i Ula Mekteb-i Mülkiye İdadisi" adıyla üçü Rüştiye, ikisi İdadi olmak üzere beş sınıflı olarak öğretime başladı. Afyon Lisesi gibi Kayseri Lisesi de Sultan Abdulhamit'in eseri. Devlet yönetimine bürokrat yetiştirmek için kurulan Türk ve Müslüman okulları arasında yer alan Kayseri Lisesi'nin ilk mezunları beş kişiydi.

Bu okullardan Kayseri Lisesi mezunları arasında yer alan Turgut Özal'ın ülkeyi düşürdüğü durum malum. Şimdi adeta onun devamı niteliğinde olan Abdullah Gül, bu okuldan mezun olan biri olarak Cumhurbaşkanlığı makamına talip.

Afyon Lisesi mezunu Demirel ise ülkenin bu denli geri kalmasında en etkin rol oynayan isimlerden. O da Cumhurbaşkanı oldu. Afyon Lisesi çıkışlı bir başka Cumhurbaşkanı ise Ahmet Necdet Sezer'di.

Kayseri Lisesi'nin bugünkü binası 1903'te tamamlandı. 1915-1916 öğretim yılında "Sultani" oldu. Sakarya Savaşı sırasında Ankara'nın boşaltılması söz konusu olunca binanın Büyük Millet Meclisi'ne bırakılması için hazırlıklar yapıldı. Milli Eğitim Nezareti'nin evrakları bu binaya taşındı. Aynı yıl Ankara Sultanisi ile birleştirilerek üç dönemli 12 yıl süreli yatılı Sultani durumuna getirildi. 1923 yılında Ziya Gökalp'in kanun teklifi ile Sultani adı Lise'ye çevrildi. Kayseri Lisesi kuruluşundan bugüne kadar 25.000 civarında mezun verdi.

14 Ekim 1924'de Cumhurbaşkanı Atatürk ve eşi Latife Hanım Kayseri'yi ziyaret ettiklerinde uğradıkları mekanlar arasında Kayseri Lisesi de vardı. Atatürk saat 16.00'da geldiği liseyi 20.00'de terk etti, derslere girdi, kendisi için hazırlanan müsamereleri izledi. Atatürk gayet memnun olarak ayrıldığı Kayseri Lisesi'nin hatıra defterine, "Kayseri Lisesi'ni müdürü ile muallimleri ile bütün talebesi ile cumhuriyetin ateşli, feyizli bir ocağı bulduk" şeklinde güzel bir yazı yazdı.

Atatürk'ün bu düşüncelerine inat olarak; Kayseri Lisesi'nden Atatürk düşmanı bazı isimlerin yetiştirilmesine başlandı. Laik demokratik cumhuriyetin temellerine dinamit koymak için birbiriyle yarışan bazı isimler de buradan mezun oldu.

Kayseri Tayyare Fabrikası'ndan emekli olan baba Ahmet Hamdi Bey, oğlu Macit Gül ile birlikte torna atölyesinde çalıştı. Abi Macit Gül aldığı ihaleler sonucu Kayseri'de fabrika sahibi oldu.

Gül, MTTB ve Necip Fazıl

Abdullah Gül, Kayseri Lisesi'ni bitirdikten sonra İstanbul Üniversitesi İktisat Fakültesi'ne kayıt oldu. Gül, içinden çıktığı ailenin etkisiyle kendine uygun bir çevreyle ilişki kurdu. Abdullah Gül de pek çok 68'li gibi Milli Türk Talebe Birliği adlı bir kuruluşa üye oluyordu. Gül'ü daha sonraki yıllarda Tayyip ve diğerleri izliyordu.

Necip Fazıl'ın Büyük Doğu Fikir Kulübü'nde fikri ve sosyal aktivitelerine katılan Gül, İstanbul'da da çalışmalarına son hızla devam ediyor. Milli Türk Talebe Birliği'nin yöneticileri arasında yer alıyordu. Gül, Ömer Öztürk'ün genel başkanlığı döneminde MTBB Merkez İcra Konseyi üyesi oluyordu. Kayseri'den çok yakın arkadaşı Kocasinan Belediye Başkanı Bekir Yıldız, Prof. Mehmet Tekelioğlu, AKP milletvekili İrfan Gündüz de MTTB'nde hep birlikte çalışıyorlardı. Kayseri Lise-si'nde birlikte okuyan iki arkadaş, İstanbul'da beraberdir. Tekelioğlu, İTÜ Uçak Mühendisliği bölümünde okuyordu. Tekelioğlu, daha sonra Abdullah Gül'ün kız kardeşiyle evleniyordu.

Abdullah Gül dünya görüşünün oluşmasında Necip Fazıl ve Büyük Doğu'nun katkılarını kendini övdürdüğü kitapta şöyle anlatıyordu: "Benim dünya görüşümün oluşması, liseli yıllarımda başlar. O yıllarda Kayseri'de "Büyük Doğu Fikir Kulübü" vardı. Oraya gidip gelmeye başlamış, kitap okumaya o zamanlar alışmış, seminer ve panellerle o zaman tanışmıştık. 1966,1967 yıllarıydı... O yıllarda Adalet Partisi'nin CHP'ye karşı yaptığı toplantılar ve mitingler Kayseri'de büyük heyecanlar oluştururdu. Demokrat Partili bir aileden geliyorduk... Ailemiz, Kayseri'nin muhafazakar ailelerindendi..."

CIA tarafından; halifeliğini Suudi Kralı'nın yapacağı bir **"İslam Enternasyonalizmi"** yani "Amerikano İslam" daha moda deyişle "Light İslam" kurma amacıyla faaliyete geçirilen **Rabıta** örgütü, İstanbul'da kendine bağlı kuruluşları, yine kendi yayını olan **"A World Guide to Organizations of Islamic Activites"** adlı kitabında açıklıyordu.

Rabıta'ya bağlı kuruluşların başında **Milli Türk Talebe Birliği** gelirken, onu Doğu Türkistan Göçmenler Derneği ve The Instute of Islamic Studies-Universite of Istanbul izliyordu.

Necip Fazıl Kısakürek'i yakından tanıyan herkesin birleştiği ortak konu onun hızlı bir Atatürk düşmanı olmasıydı. Şeriatçılığı ve ABD'ye yakınlığı diğer özelliklerindendi. Necip Fazıl; 5816 sayılı Atatürk'ü koruma yasası uyarınca İstanbul Toplu Basın Mahkemeleri'nce 8.7.1981 tarihli ve 1977-137 sayılı kararı ile Atatürk'e hakaretten mahkûm edilmiş, bu mahkûmiyet kararı Yargıtay 9. Ceza Dairesi'nin 17.2.1982 tarih 1982-13 esas ve 1982-786 sayılı kararı ile onanmıştı.

Necip Fazıl, İslami Büyük Doğu Akıncıları İBDA'nın fikir babası ve kurucularındandı. 80'li yıllarda **"Şeriat İçin Silahlı Mücadele"** söylemiyle yola çıkan İBDA-C'liler PKK'lılar için **"Gerilla"** derken, her şehit olan asker ve polisimizin ardından baklava ziyafetleri verdiklerini yayınlarında övünçle anlatıyorlardı. Bu yayınlara bayram tebriki gönderen isimlerin arasında Tayyip Erdoğan da yer alıyordu.

Üniversitelerde ideolojik ve politik kutuplaşmaların hızlandığı yıllardı. Üniversite işgalleri, boykotlar ve kavgalar üniversiteden başlayarak sokaklara taşıyor. MTTB'nin etkin isimleri arasında yer alan Gül ve arkadaşları ülkücüler ile solcuların arasındaki kavgalardan azami ölçüde yararlanıyor ve olayları bıyık altından gülerek seyrediyorlardı. Abdullah Gül o günlerde başta Necip Fazıl olmak üzere, Nurettin Topçu, Sezai Karakoç okuyor, listesine Cemil Meriç, Fethi Gemuhluoğlu, Erol Güngör ve İdris Küçükömer'i ekliyordu...

Gül, MTTB'ye girmesinin ardından Prof. Dr Necmettin Erbakan'ın oluşturduğu Milli Görüş hareketine sempati duydu, destekledi. Babası Ahmet Hamdi Bey de Erbakan'ın ilk yol arkadaşları arasında yer alıyordu. Hamdi Gül, 1973 seçimlerinde Milli Selamet Partisi'nden milletvekili adayı oldu. Ahmet Hamdi Bey seçilemedi. MSP 1973 seçimlerinden 48 milletvekili ile üçüncü parti olarak çıktı. Ahmet Hamdi Bey'in rüyasını oğlu Abdullah Gül, 1991 seçimlerinde ilk sıradan milletvekili olarak gerçekleştirdi.

Gül ve ailesine övgüler düzülen yazılarda, ailenin Necip Fazıl hayranlığı ve diğer özellikleri şöyle işleniyordu:

"Ateşli bir dindar olan Ahmet Hamdi Gül'ün evine Necip Fazıl'ın yazdığı dergiler, gazeteler giriyor. Fikri ve siyasi gelişmeleri takip eden baba Hamdi Bey, oğlu Abdullah'ın da dînî ve millî terbiyesine titizlik gösteriyordu. Oğluna Kur'an okumayı o öğretti. Abdullah Gül daha ortaokulda iken Necip Fazıl'la tanışıyor. Kayseri, Necip Fazıl'a en fazla sevgi duyulan bir kent. Büyük Doğu Fikir Kulübü'nün davetlisi olarak Necip Fazıl konferans vermek için Kayseri'ye geldiğinde onu hayranlıkla dinleyen delikanlılar arasında Gül de vardı. Yakın arkadaşı Mehmet Tekelioğlu ile birlikte gittiği konferans, Gül'ün düşünce hayatında dönüm noktası oldu. Yıllar sonra Üstad'ın en yakınındaki gençler arasına katıldı..."

Gül, Kayseri Lisesi'ni bitirdiği yıl iki arkadaşıyla birlikte hayran olduğu Necip Fazıl Kısakürek'e mektup yazıyor. Mehmet Tekelioğlu, Abdullah Gül, Ahmet Taşçı imzalı ve 3.7.1969 tarihli, "Necip Fazıl Kısakürek'e" diye başlayan satırlar şöyle devam ediyordu:

"İslam davasının zerre tavizsiz müdafii Üstadımız'a İslam davasının agora meydanlarında sağırların kulağını patlatacak gür seslilikte aksiyoneri Büyük Doğu Gençliği'nin ruh gıdası mecmuanızı tekrar çıkarışınızdan dolayı size minnettarlıklarımızı arz eder, hangi şartlar altında olursa olsun hal neyi icap ettirirse ettirsin yüzde yüz emrinizde olduğumuzu bildirir hürmetlerimizi sunarız. Yarın elbet bizim elbet bizimdir. Gün doğmuş gün batmış elbet bizimdir"

Birlikte mektup yazdığı arkadaşı Ahmet Taşcı, tanınmış işadamları arasında yer alıyordu. Uzun yıllar H. Celal Güzel ile birlikte olan Taşcı, YDP'nin el değiştirmesinden sonra köşesine çekildi.

Ailesini Kandırdı, Gazoz Satamadı

Gül, Başbakan olduğunda AKP'ye yakınlığı ile bilinen Yeni Şafak Gazetesi Gül'ün onayı ile Gül'e övgü dizileri yapmıştı. Bu yayınlarda Gül'ün "Aileden demokrat" olduğu iddia ediliyordu. Gül'ün ticarete yatkın olmayışı ise şu şekilde açıklanıyordu.

"Ailesi, her Kayserili gibi Abdullah Gül'ü de hayatla yüz yüze getirdi. Gül, yağ tenekelerinde buzlu su içinde gazoz satmayı denedi, olmadı. "Otuz iki dişe keman çaldıracak buz gibi gazoz" diye bağıramayınca, Gül'e ticaret yerine okul yolu açıldı. Kayseri Lisesi'ni bitirdikten sonra 1969'da İstanbul Üniversitesi İktisat Fakültesi'ne girdi. Maliye ve Sosyal Siyaset Bölümü'nde öğrenime başladı. Prof. Nevzat Yaçıntaş, Prof. Sabahattin Zaim gibi hocalarıyla çok iyi ilişkiler kurdu. Gül, sosyal çalışmalarda aktif rol aldı. İstanbul Kayseri Yüksek Tahsil Cemiyeti Başkanlığı yaptı..."

Gazeteci Funda Özkan "Abdullah Gül'ün Kayserili kurnazlığı" başlığı altında Gül'ün ailesini nasıl kandırdığını anlatıyordu:

"Abdullah Gül'ün bir yakını anlatıyor: 'Buz gibi gazoooz' diye bağıramamasının asıl hikâyesi başkaymış. Gazetelerde okumuşsunuzdur:

'Kayseri'de ilkokula giden erkek çocuklar yaz aylarında bir işe çırak verilirmiş. Eğer çocuk cevval, iş bitirici, girişkense 'Bu çocukta iş var, bunu okutmayalım' denirmiş. Ticarete uygun mizacı yoksa da son çare okula gönderilirmiş.'

Gül'ün yakını, Abdullah Gül'ün sonraları gülerek anlattığı hikâyenin gerçek yönünü' aktarıyor. Meğerse Abdullah Gül aile meclisinin onu sınava tabi tutacağını duymuş.

O yüzden de bilerek ve kasten 'gazoooz' diye bağırmamış. Bağırmamış ki, çok istediği okuluna devam edebilsin. Ne de olsa Kayserililer her zaman 'kurnazlıklarıyla' övünür.Tarihte ticareti de Anadolu'ya kendilerinin öğrettiğini iddia ederler..."

Gül dün ailesini kandırıyor, bugün ise yıllarca insanları "Milli Görüş", "Adil Düzen" masallarıyla etraflarında toplarlarken, birden Milli Görüş gömleğini çıkarıyorlar, Adil Düzen'e hiçbir zaman inanmadıklarını itiraf ediyorlardı. Yıllarca bu masallara güvenerek bekleyen insanların umutları?.. İşte onun cevabı yok!..

Yeni Şafak Gazetesi aileye övgüler düzerken onların 1915 yılında Siirt'ten Kayseri'ye göç ettiğini nedense es geçiyor, bu göç olayına hiç değinmiyor, Gül ailesine adeta övgü üzerine övgüler düzüyordu:

"Gül ailesi sıkı bir Demokrat Partili idi. Aile DP'den sonra Adalet Partisi ardından da Milli Nizam ve Milli Selamet Partisi'ne destek verdi. Baba Hamdi Bey, Milli Nizam Partisi yıllarında Necmettin Erbakan ile tanışır. 1973'de MSP'den aday olur. Gül'ün anne tarafı Kayseri'nin köklü ailelerinden Satoğulları'na dayanıyor. Anne tarafı okumuş, yüksek tahsilli, daha çok da öğretmen yetiştirmiş bir aile. Baba tarafı ise mütedeyyin, mülayim çalışkan bir aile olarak tanınıyor. Aileden Abdullah Satoğlu, Necip Fazıl'a destek veren ünlü Kayserililerden. Büyük Doğu Fikir Kulübü'nün ikinci şubesi 1957'de Kayseri'de açılıyor..."

1970'li yılların başında MTTB'nin her yıl düzenlediği Çanakkale Savaşı yıldönümlerinin organizatörü de Abdullah Gül'dü. Askeri ve mülki erkanın da katıldığı etkinliklerde öğrenci gençliği adına konuşmaları Gül yapıyordu.

Gül, yaz tatillerini Kayseri'de Büyük Doğu Fikir Kulübü, MTBB ve sonraki yıllarda Söğüt Fikir Kulübü'nde geçiriyordu. Prof. Ali Biraderoğlu, Ahmet Taşçı Kayseri'de yakın görüştüğü isimler arasında yer alıyordu. 1970'lerin ortalarında Necip Fazıl'ın MHP'yi desteklemesi üzerine MTBB'de tartışmalar başlıyordu.

Kilise'de Namaz Kılmış

Abdullah Gül üniversiteden mezun olunca akademik kariyer yapması için Prof. Dr. Nevzat Yalçıntaş, Prof. Sebahattin Zaim gibi hocaları tarafından teşvik edilir. 1976-1978 yıllarında Fehmi Koru ve Kayseri'den arkadaşı Şükrü Karatepe ile birlikte Milli Kültür Vakfı'nın bursuyla doktora çalışması yapmak için İngiltere'ye gönderilen öğrenciler arasında Gül de vardır. Gül İngiltere'de akademik çalışmalarını sürdürürken sosyal faaliyetlerini de ihmal etmez. Müslüman Öğrenciler Birliği'nde Türk Öğrencileri Yardımlaşma Derneği'nin kurucuları arasında yer alır.

Aynı dönem aynı yurtta beraber kaldığı gazeteci Fehmi Koru, Gül ile ilgili bir anıyı şöyle anlatıyordu:

"Gül, cami ararken okulun yanında bir kilise görmüş. İçeriye bakarken gözgöze geldiği papaza yakınlarda mescid olup olmadığını sormuş. Genç papaz kendisine boş bir oda gösterip yere temiz bir örtü serivermiş. Gül, bana bunları anlattıktan sonra, 'aylardan beri namazımı kilisede kılıyorum' demişti..."

Tabi ki, böyle bir masala kargalar güler, samimi bir Müslüman, cami bulamazsa, mescit de, mescid bulamazsa evinde, onu da bulamazsa parkta bahçede namazını kılar, kilisede ise asla. Kaldı ki, hiçbir papaz bir Müslüman'a namaz kılması için kiliseyi açmaz. Bu durum; herhalde birisi Kiliseden çıkarken gördüğünde "burada ne arıyorsun" sorusunun peşin verilmiş cevabıydı.

Gül, Kilise ve papazlarla son derece samimiydi. Öyle ki; Refah Partisi döneminde yanında Salih Kapusuz olduğu halde Kayseri de bulunan Ermeni kiliselerinde, bağlık ve bahçeliklerde papazlarla fotoğraflar çektirecek kadar yakınlaşmışlardı.

Gül ile aynı ekipten olan arkadaşı Kayseri eski Belediye Başkanı Şükrü Karatepe, "10 Kasım törenlerine içim kan ağlayarak katılıyorum" derken, Ermeni kilisesi açıyor ve açılışta "Biz hoşgörüyü Ermenilerden öğrendik" diyordu.

Yeniçağ Gazetesi'nden Aslan Bulut, Gül'ün eğitim gördüğü Exeter Üniversitesi hakkında şu bilgileri veriyordu:

"İngiltere'de bir Exeter Üniversitesi vardır. İngiliz Üniversiteleri arasında "Kürt Araştırmaları Enstitüsü" olan tek yüksek öğretim kurumudur. Exeter Üniversitesi'nde ayrıca Arap ve İslami Araştırmalar Enstitüsü de bulunuyor! Başında, Abdullah Gül'e fahri doktora ünvanı veren Tim Niblock vardır.

İngiliz istihbarat servislerinin yurt dışı görevlere gönderilecek ajanlarının önemli bir bölümü Exeter Üniversitesi'nde eğitim görür. Ayrıca Arap ve İslam Dünyası ile Kürtler hakkında uzmanlaşması gereken İngiliz ajanlar da bu üniversitenin hocaları tarafından eğitilir. Üniversite yayınlarında, Irak'ın kuzeyinden "Irak Kürdistanı" diye söz edilir.

Green Peace (Yeşil Barış) örgütü de Exeter Üniversitesi'nde bir laboratuvar sahibidir!

Exeter Üniversitesi'nden mezun olan veya doktorasını burada yapan kişileri, daha sonra özellikle İslam ülkelerine ekonomik ve siyasi kuruluşların başında veya devlet görevlerinde görmek mümkündür. Mesela İslam Kalkınma Bankası'nın bütün önemli yöneticileri Exeter Üniversitesi'nde yüksek lisans veya doktora yapmıştır! Tabii buraya gönderilecek öğrencileri de kendi ülkelerindeki "İslami kuruluşlar" seçer!

İstanbul Milletvekili Nevzat Yalçıntaş seneler önce İngiliz Dışişleri Bakanlığı'nın kendisini Londra'ya ve güneye Exeter Şatosuna davet ettiğini, burada medyanın demokrasiyi tahrip etmesi üzerine bir beyin fırtınasına katıldığını bir Meclis konuşmasında açıklamıştır. Dışişleri Bakanı Abdullah Gül, Exeter Üniversitesi'nde iki yıl eğitim-öğretim görmüştür. Merkez Bankası Başkanı Durmuş Yılmaz da Abdullah Gül'ün bu üniversiteden arkadaşıdır! Abdullah Gül, Prof. Dr. Nevzat Yalçıntaş ve Prof. Sebahattin Zaim gibi hocalarının teşviki ve sağladıkları Milli Kültür Vakfı bursu ile 1976-1978 yılarında Fehmi Koru ve Şükrü Karatepe ile birlikte İngiltere'ye gönderilmiştir.

Gül, burada İslam ülkelerinde ileride görev alacak olan doktora öğrencileri ile sıkı bir arkadaşlık kurmuştur. Dönüşte Sebahattin Zaim'in daveti ile Sakarya Üniversitesi'nde görev almıştır. Abdullah Gül, 12 Eylül'den birkaç gün sonra evinden alınıp götürülür ve İstanbul'da Metris Askeri Cezaevi'ne kapatılır!.."

ABD'nin en sevdiği İslamcı(!) tiplemesi içinde yer alan Gül, ABD, İsrail, İngiltere, Fetullah Gülen ve Tayyip Erdoğan'dan destek alarak Fazilet Partisi Genel Başkanlığına adaylığını koydu. Diğer adaylar, Bülent Arınç ve Abdüllatif Şener, Gül'ün lehine adaylıktan çekildi. Ancak kılpayı seçimleri kaybetti. Gülen'e yakınlığı ile bilinen Samanyolu TV ve Zaman

Gazetesi'nin de her fırsatta yanında olduğu Başbakan Yardımcısı Abdullah Gül'ün, bir diğer hocası Sabahattin Zaim idi. Gül; Zaim'in yanına aldığı üç yardımcısından da birisi!... Sabahattin Zaim kendisine "bu yardımcıları niye yanına aldın" şeklindeki soruyu, 22 Kasım 2002 tarihli Zaman gazetesinde şöyle yanıtlıyordu:

"...Burası bir fideliktir. Böyle kıymetli elemanları buraya alıp bir fidan gibi diker ve yetiştirirsek, bunlar mümtaz şahsiyetler halini alır ve iyi bir eleman 10 yılda doçentliği ulaşır, şahsiyet haline gelir. Ondan sonra bu milletin, memleketin hizmetinde istediğin yerde kullanabilirsin; ister bürokrasi de, ister politikada ve nitekim de böyle oldu."

Sabahattin Zaim'in söylediği gerçekleşiyordu. Bu isimler memleketin hizmetinde kullanılıyorlardı. Tabi ki o memleket; ABD, İngiltere ve İsrail'di.

Gül, Özal'ın kefaletiyle Metris'ten çıktıktan bir süre sonra Merkezi Cidde'de olan ve 48 İslam ülkesinin üye olduğu İslam Kalkınma Bankası'nda diğer Exeter mezunu arkadaşları ile birlikte ekonomi uzmanı olarak görev alır. İslam Konferansı Örgütü Genel Sekreteri Ekmeleddin İhsanoğlu, Exeter Üniversitesi'nde doktora sonrası çalışmalar yapmıştır.

Exeter Üniversitesi'nden Prof. Dr. Ian Markham'ın "Said Nursi'nin başarısı: Hakikat ve hoşgörü" başlıklı bir makalesi vardır! Yani bu üniversite "Dinler arası diyalog" un kurgulanmasında da büyük bir rol oynamaktadır.

Yahudilerin Şalom Gazetesi 2005 yılında Yahudi Cemaatının önde gelen isimlerinin İsrail'i ziyaretlerine yer veriyordu:

"...Dışişleri Bakanı ve Başbakan Yardımcısı Abdullah Gül, 3 Ocak Pazartesi günü başlayan ve üç gün sürecek olan Ortadoğu gezisi sırasında İsrail'i de ziyaret etti. İsrail'de Devlet Başkanı Moşe Katsav tarafından kabul edilen ve İsrail Dışişleri Bakanı Silvan Şalom, Başbakan Ariel Şaron, Başbakan Yardımcısı Ehud Olmert ve İşçi Partisi Lideri Şimon Peres ile görüşen Abdullah Gül'ün beraberindeki heyette Yahudi Cemaati Başkanı Silvyo Ovadya, Onursal Başkan Bensiyon Pinto, Başkan Vekili Sami Herman da yer aldı..."

Bensiyon Pinto ve İsrail'e giden heyet Tayyip Erdoğan'la yıllarca yakın ilişkilerde olmuş, Fetullah Gülen'in çevresinden hiç eksik olmamıştı. Pinto, Mason yapmak istedikleri İslamcıların Localardaki kefillerinin arasında hep ön sırada yer almıştı.

Gül'e İngiltere'de Fahri Doktor Unvanı

13.7.2005 tarihli Sabah Gazetesi Abdullah Gül'ün Exeter Üniversitesi tarafından fahri doktorayla ödüllendirildiğini şu şekilde aktarıyordu:

"...Dışişleri Bakanı Abdullah Gül, İngiltere'nin ünlü üniversitelerinden Exeter Üniversitesi tarafından fahri doktorayla ödüllendirildi. Önceki gün İngiltere'ye gelen Gül, geçen perşembe günü düzenlenen bombalı saldırılarda yaralanan 26 yaşındaki Okan Burak'ı hastanede ziyaret etti Gül, dün sabah da ünlü finans kuruluşu Meryll Lynch'de yabancı yatırımcılarla kahvaltıda bir araya geldi.

Daha sonra basın toplantısı düzenleyen Gül, Türkiye'nin 3 Ekim'de AB ile müzakerelere başlaması konusunda risk olup olmadığını soran bir gazeteciye, ''Bu konuda hiçbir risk görmüyorum'' yanıtını verdi. Gül, Almanya'da muhalefet lideri Angela Merkel'in Türkiye'ye karşı tavrı için de, "10 yıl sonra bakalım Almanya'yı, Fransa'yı kim yönetiyor olacak? Türkiye'de kim iktidar olacak? Önemli olan kişiler değil, kurallar" dedi.

Gül basın toplantısının ardından uçakla Exeter'e geldi. Üniversite'ye gelişinin ardından kendisine cüppesi giydirilen ve kepi takılan Bakan Gül, daha sonra diploma törenine katıldı. Sahnede diploma törenini dikkatle izleyen ve bütün öğrencileri tek tek alkışlayan Bakan Gül, daha sonra kendisine takdim edilen fahri doktora diplomasını aldı.

Dışişleri Bakanı Gül yaptığı konuşmada Türkiye'nin Birliğe üyeliğinin, AB'nin büyük yararına olacağına inandığını belirterek "Bu üyelik, Avrupa'nın sadece coğrafi ve dini bir birlik olmayıp, ortak değerlerin yaşandığı bir birlik olduğunu kanıtlayacak'' dedi..."

Türkiye Cumhuriyeti'nin Cumhurbaşkanı adayı olan Abdullah Gül, görüldüğü gibi özellikle ABD ve İngiltere'nin derin devleti ile yakın ilişkiler içinde olan bir kişidir"

Gül Evleniyor

İktisat Fakültesi'nden hocası Sebahattin Zaim, Sakarya Üniversitesi'nde Endüstri Mühendisliği Bölümünü kurduğunda Abdullah Gül de teklif alır. İstanbul İktisat Fakültesi'nde daha önce başladığı doktorasını İngiltere dönüşü tamamlar ve Sakarya Üniversitesi'nde Öğretim Üyesi olarak göreve başlar. Doktora tezi: Türkiye ile İslam Ülkeleri Arasındaki Ekonomik İlişkilerin Gelişimi. Tez hocası ise Prof. Dr. Nevzat Yalçıntaş'tır. 1977-1983 yılları arasında Sakarya Üniversitesi Endüstri Mühendisliği Bölümü'nde öğretim üyeliği görevinde bulunur.

Bu arada Çemberlitaş Kız Lisesi'nde öğrenci olan Hayrunnisa Özyurt ile bir akrabalarının düğününde karşılaşırlar. Fonda, Love Story çalmaktadır. İlk görüşte birbirlerinden hoşlanırlar. 1980 yılında acele olarak sade bir törenle dünya evine girerler.

Eşiyle aşk evliliği yaptığını anlatan Hayrunnisa Gül, Vatan Gazetesine verdiği bir röportajda, "Ev işleri konusunda ona kıyamam. Abdullah Bey, yemek yapmaz ama yeşil salata yapmayı çok sever. Bensiz doktora gitmez. Kıyafetlerini de ben seçerim. Ne alırsam giyer" diyordu.

Gül'ler sözleşmiş gibi hayat hikayelerinin evlilik ile ilgili bölümlerini böyle anlatırlarken, Anne Adeviye Gül, evlenme olayını Sabah Gazetesi'ne şöyle aktarıyordu:

"Bir akrabaların kız isteme ziyareti sırasında karşılaşmıştık. Küçük Hayrünnisa'yı gördüğüm an içimde sıcak bir şeyler aktı. Gözüm ona takıldı kaldı"

Adeviye Gül, daha sonra gönlünden geçen Hayrünnisa Gül'ü istemeye gitti ve oğlu Abdullah ile evlendirdi"

Tayyip-Emine aşkında; Emine "Yıldırım aşkı ile çarpıldık, Tayyip aşkı için on kilo verdi" dese de,Tayyip; Hürriyet Gazetesi'nden Gülden Aydın'a verdiği röportajında hiç aşık olmadığını ısrarla vurguluyordu. Tayyip-Emine aşkı nasıl karışıksa, Anne Adviye'nin açıklamaları karşısında Abdullah-Hayrünnisa aşkı da öyle şaibeli bir duruma geliyordu.

O günlerde Hayrunnisa Özyurt, 15 yaşında lise talebesi ve daha evcilik oynayacak yaştayken, Abdullah Gül 30 yaşında Hayrunnisa'nın adeta babası yaşındaydı. Gül'ün 27 yıllık evliliğinden iki erkek, bir kız çocuğu oluyordu.

Tayyip Erdoğan ABD'de Dünya Bankası'nda iş bulan oğlu Necmeddin Bilal'e Abdullah Gül'ün kızını istiyor, ancak Gül ailesi kızlarının eğitimine devam edeceği gerekçesiyle bu istemi geri çeviriyorlardı.

Böylece, Hayrunnisa Özyurt'un, kızlarımızın eğitim görmesi konusundaki hassasiyeti ise seneler sonra kendisini gösteriyordu.

Oğulların İşi ABD'den

Erdoğan'ın oğluna dünya Bankası'nda iş bulunmasının ardından, Emanetçi Başbakanlığı döneminde "Biz bu ülkenin WASP'larıyız" şeklinde bir açıklama yapan Gül'ün Bilkent Üniversitesi Endüstri Mühendisliği bölümünden mezun olan oğlu Ahmet Münir Gül'e de ABD'li yatırım bankası Goldman Sachs'ın Londra'daki merkezinde çalışma imkanı sağlanıyordu. Ahmet Münir, daha önce de yine Londra'da finans kuruluşu Merrill Lynch'te staj yapmıştı. Ahmet Münir de babası gibi yetişmek, eğitimini tamamlamak için İngiltere'yi seçiyordu(!)

Merrill Lynch ve Goldman Sachs, 2002 seçimlerinden hemen önce AKP'lilerin doğrudan ziyaret ederek "Bizden korkmayın, bizim politikalarımız size entegre olacaktır" dedikleri kuruluşlardandı. Merrill Lynch, BİM şirketinde Zapsu'ların ortakları arasında yer alıyordu.

Eşi Türkiye'den Davacı

Abdullah Gül'le 1980 yılında 15 yaşında Lise birinci sınıftayken evlilik yapan Hayrünnisa Özyurt, 1998'de Ankara Üniversitesi Dil ve Tarih-Coğrafya Fakültesi Arap Dili ve Edebiyatı Bölümü'nü kazanmıştı. Hayrünnisa Gül, kayıt yaptırmaya, kapatılan Fazilet Partisi milletvekili olan eşi Abdullah Gül, avukatı ve noterle birlikte gitmişti. Ancak Gül'ün türbanlı fotoğrafı nedeniyle kaydı yapılmamıştı. Karara karşı Türkiye'deki yargı yollarından sonuç alamayınca 2002'de AİHM'ye gitmişti.

Gül'ün Dışişleri Bakanı olmasının ardından ise eşi, "Dava hakkını bana kocam değil devlet verdi. Onun başbakan olması benim haklılığımı değiştirmez. Başvurumu geri çekmeyi hiç düşünmedim" demişti.

Hayrünnisa Gül, Dışişleri Bakanı'nın eşinin Türkiye'den davacı olmasının yarattığı tartışmalar üzerine ise davasını geri çekmek zorunda kaldı. Hayrünnisa Gül, kararını şöyle değerlendirmişti:

"Haklılığıma İnanıyorum"

"Yapılan, Türkiye Cumhuriyeti devletinin vatandaşlarına tanıdığı, AİHM'ye başvuru hakkını kullanmaktan ibaretti. Ancak eşimden dolayı bu davada çift taraflı, yani hem davacı hem davalı konuma gelmiş bulunuyorum. O dönemde eşim ne başbakan ne de Dışişleri bakanıydı. Davamı geri çekme kararımın nedeni, yargı kararlarının tartışılmasına fırsat vermemek, güven ve saygıyı sağlamaktır. Bu konuyla ilgili benzer davalar zaten AİHM'nin gündemindedir. Esasa ilişkin davayı açarken haklılığıma olan inancımı halen koruduğumu da belirtmek isterim."

Tıp öğrencisi türbanlı Leyla Şahin'in Türkiye aleyhine açtığı davayı AİHM'de kaybettiğine ilişkin ilk bilgilerin AKP hükümeti tarafından öğrenilmiş olmasının Gül'ün dava dilekçesinin geri çekilmesinde etkili olduğu belirtilmişti. Kaldı ki, Leyla Şahin'in davasında AKP Hükümeti türbanın Laik Cumhuriyete başkaldırı olduğunu vurgulamış savunmayı da bu temel üzerine kurmuştu. Gül'ün Bakanı olduğu Dışişleri davaya Mason Avukat Münci Özmen'i göndermiş ve karar türban aleyhine çıkmıştı.

Türbanı Eninde Sonunda Çözeceğiz

Gül, eşi Hayrünnisa Gül'ün üniversiteye kaydını yaptırmaya, avukatı ve noterle birlikte gitmiş, gazeteciler haber vermişti. Eşinin türbanlı fotoğrafı nedeniyle kaydının yapılmaması üzerine "Bugün Moskova'da yaşıyor olsaydık, böyle bir engelle karşılaşmazdı eşim" demişti.

Abdullah Gül, Atatürk Üniversitesi'nde düzenlenen mezuniyet törenine türbanlı velilerin alınmamasına ilişkin ise bakan olarak görev yaptığı 16 Haziran 2005 tarihinde "Hükümet olarak eninde sonunda bu tip (kamuda türban) utanılacak manzaraları kaldıracağız" demişti. Danıştay'ın öğretmenin türbanla okula giremeyeceğine ilişkin kararını Cidde'ye gidişi sırasında 12 Şubat 2006'da şu sözlerle değerlendirmişti:

"Doğrusu bunu kaygıyla karşılıyorum ve hayretler içinde kaldık. Türkiye'nin giderek demokratikleşme eğilimine ters bir davranıştır bu. Bu yaklaşımın altında negatif özgürlükler anlayışı vardır. Bu anlayış bildiğiniz gibi otoriter, diktatör rejimlerin felsefesidir. Halbuki Türkiye giderek demokratikleşen, bireyin, toplumun haklarının daha da genişletilmesine doğru bir yöneliş içindedir. Bu, Türkiye'nin yönelişine ters bir karardır.

Bizim anlayışımız hep pozitif özgürlüklerden yanadır. Bu açıdan kararı yanlış ve tehlikeli görüyorum. Çünkü böyle bir yaklaşımla giderek, yarın oruç tutan bir öğretmeni bile, öğrenciye yanlış örnek oluyor diye suçlarsınız. Çünkü görebildiğim kadarıyla bu karar dini bir vecibeyi yanlış bir örnek olarak gösteriyor. Bunlar çok tehlikeli ve yanlış şeylerdir, ümit ederim ki düzelir. Bütün bu kararlar alınırken, şu herkesin zihninde olması gerekir ki Türkiye giderek özgürleşen, demokratikleşen, sivil alanı daha da genişletilen bir toplum olacaktır. Buna kararlıyız. Toplum olarak, Meclis olarak, hükümet olarak kararlıyız. Bu bakımdan bu kararın ciddi şekilde kamuoyunda büyük bir olgunlukla tartışılacağını ve herkesin bir kez daha düşüneceğini ve yanlışlarını düzelteceğini tahmin ediyorum."

Cumhuriyetçi Dönemin Sonu Gelmiş

Öncelikli görevi laik rejimi koruyup kollamak olan Cumhurbaşkanlığı'na aday gösterilen Abdullah Gül, Refah Partisi yöneticisi olduğu dönemde, **"Türkiye'de Cumhuriyetçi dönemin sonu geldi. Kesinlikle laik sistemi değiştirmek istiyoruz"** demişti. Türkiye'nin laik, demokratik ve sosyal bir hukuk devleti olduğuna ilişkin temel niteliğinin değiştirilmesini bile gündeme getiren Gül, "hırsızlık yapanlar, yolsuzluk yapanlar"ın laiklik zırhına büründüğünü öne sürmüştü.

Abdullah Gül'ün Cumhuriyet, türban ve laikliğe ilişkin değerlendirmeleri, Cumhuriyetle kavgalı bir Cumhurbaşkanı adayı olduğunu net bir şekilde ortaya koyuyor. Gül, RP Genel Başkan Yardımcısı olduğu dönemde İngiliz The Guardian gazetesinde yayımlanan röportajında:

"Türkiye'de Cumhuriyetçi dönemin sonu geldi. Kesinlikle laik sistemi değiştirmek istiyoruz" diyor, "The Guardian" tarafından "Yeşil Devrimci" ilan ediliyordu.

Gül'ün temsil ettiği çevrelerin attığı tohumların nasıl yeşerdiği ise, Ankara'da acı tecrübelerle yaşanmış ancak Danıştay baskınından da ders çıkarılmamıştı.

Gül'ün FP Genel Başkan Yardımcısı olduğu dönemde de gündeme ilişkin değerlendirmeleri Yargıtay Cumhuriyet Başsavcılığı'nın partinin kapatılmasına ilişkin iddianamesine şöyle yansımıştı:

"Adalet, hukuk, demokrasi, insan hakları, özgürlükler, inanca saygı, eğer bu şeyler ayaklar altına alınmasaydı, bu millet kendi öz yurdunda garip, öz vatanında parya muamelesine tabi tutulur muydu?... Hırsızlık yapanlar, boğazlarına kadar yolsuzluk yapanlar, çetelerle, mafyalarla kol kola gezenler bugün laiklik zırhı içine bürünüp, devletin en itibarlı koltuklarında otururlar mıydı? Sadece okumak istiyorum. Başka bir şey istemiyorum. Sessizce okula gidenler polis zoruyla üniversite kapısından, "Başörtün var, sakalın var" diye atılır mıydı?"

İslam'a Aykırı Yasa Kalkacak

Abdullah Gül, 10 Aralık 1995 tarihli Milliyet gazetesinde yayımlanan röportajında da Cumhuriyetin temel nitelikleriyle "barışık" olmadığını ortaya koymuştu. Gül, özellikle değiştirilmesi teklif dahi edilemeyecek "Türkiye'nin laik demokratik sosyal bir hukuk devleti" olduğuna ilişkin ikinci maddesi ile değiştirilmesini yasaklayan maddelerin kaldırılması gerektiğini savunmuştu. Gül'ün öne çıkan değerlendirmeleri şöyleydi:

"Saklanamaz gerçekler var. İslam'ın yalnız ahreti değil, dünyevi düzeni de içerdiği bir gerçektir. Ben bir Müslüman olarak buna inanıyorum.

Türkiye'de geçerli kanunlar arasında, İslam'a aykırı olan da var, olmayan da... Aykırı olanlar baskıdır. Baskı kalkacak. Bu hakkı kullanacağım. Halka bu imkanı vereceğim.

Artık Türkiye'de yasaklarla gitmez. Yani anayasada şu yasak var, bu yasak var diye gitmez. Halk isterse yapılır.

Biz Türkiye'de yasakçı bir zihniyetin olduğuna inanıyoruz. Türkiye'de açık-gizli bir İslam düşmanlığı olduğuna inanıyoruz. Başörtüsü örneğin...

İnancından dolayı kimse "discrimination"a (ileri derece ayrımcılık) uğramayacak. Orduya girerken subayların karılarının, kızlarının fotoğrafları isteniyor. Bunları kaldıracağız.

Düzen Türkiye'de İslam'ı caminin içine hapsetti. Biz İslami hayat tarzı olarak görmek istiyoruz.

Türk anayasasının girişinin İngilizcesini yabancıya verecek olursanız utanırsınız.

Faizin doğru olmadığına inanıyoruz. Faizin sıfıra yakın olduğu toplumlar sağlıklı toplumlardır..."

Gül, dünyayı sarsan 68 kuşağından bir isim. Ancak ailesinin ve yetişme tarzının etkisiyle, bu kuşağın muhafazakar kanadında yer aldı. Henüz 22 günlük evli, çiçeği burnunda bir damatken de, 12 Eylül Askeri darbesini yaşadı. İstanbul, Erenköy'deki evinde ikamet ederken bir sabah, elinde pusulasıyla genç bir üsteğmen kapıyı çaldı. Sancak Harekatı kapsamında İstanbul'da Metris Askeri Cezaevine gönderilen siyasi tutuklular arasında yer alıyordu. Gül, Özal'ın devreye girmesi ile serbest bırakılıyordu.

Abdullah ile Hayrunnisa Hanımın evliliğinden Ahmet Münir, Kübra ve Mehmet Emre doğuyordu. Askerliğini kısa dönem olarak 1981 yılında Tuzla'da yapan Gül, 1983'de İslam Kalkınma Bankası (İKB)'ndan teklif alıyordu. 1991'e kadar İKB'nin Cidde'deki merkezinde İktisat Uzmanı olarak çalışan Gül 1991'de Uluslararası İktisat dalında doçent oluyordu.

Abdullah Gül, aynı yıl oğlu Ahmet Münir'in sünneti için Kayseri'ye geldiğinde yaşamını değiştirecek bir sürprizle karşılaşıyordu...

Başbakanlığı Oğluna Borçlu

1991'de oğlunun sünneti için Cidde'den Kayseri'ye gelen Abdullah Gül, beklemediği bir anda dostlarının ısrarıyla milletvekili oldu. Dört dönem Kayseri Milletvekili seçilen Gül, İsrail, ABD ve İngiliz başkonsolosluklarının denetiminde Recep Tayyip Erdoğan ile birlikte AKP'yi kurdu.

1991'de ANAP Genel Başkanı olduktan sonra kısa bir süre Başbakanlık koltuğuna oturan Mesut Yılmaz erken seçim kararı aldı. RP lideri Erbakan, MHP lideri Alparslan Türkeş ve IDP Genel Başkanı Aykut Edibali ile seçim ittifakı yaptı. 1991'de İslam Kalkınma Bankası'nın Cidde'deki merkezinde iktisat uzmanı olarak çalışan Abdullah Gül, oğlu Ahmet Münir'in sünneti için geldiği Kayseri'de hayatında dönüm noktası olan teklifle karşılaştı.

RP İl Başkanı Şaban Bayrak, Gül'e milletvekilliği adaylığı teklif etti. Başta Recep Tayyip Erdoğan ve Dr. Azmi Ateş olmak üzere İstanbul'daki arkadaşları da Gül'ün aday olmasında ısrar ettiler. İttifak Kayseri'den tulum çıkardı ve 7 milletvekilliği kazanıldı.

Devlet Bakanı Beşir Atalay, Abdullah Gül gibi Siirt göçmeni bir ailenin çocuğuydu. Gül ailesi Siirt'ten göçmek zorunda kaldıklarında Kayseri'ye yerleştirilmiş, Atalay'lar ise Kırıkkale'nin Keskin ilçesi, Armutlu Köyü'ne gönderilmişlerdi.

Kırıkkale Üniversitesi'nin rektörlüğünü de yapan Beşir Atalay, Atatürk ilke ve inkılaplarına karşı hasmane tutumları ve Humeyni yanlısı faaliyetleri sebebiyle YÖK tarafından yapılan soruşturmaların ardından üniversiteyi irticai yapılanmaların beşiği haline getirdiği iddialarıyla 15 Aralık 1997 yılında görevden alındı. Atalay, Humeyni'ye o derece de hayrandı ki, doktora tezinin kapağına bile onun resmini koymuştu.

Atalay hakkında hazırlanan raporda şu bilgiler yer alıyordu:

"Arap Dili ve Edebiyatı bölümlerini oluştururken, Batı Edebiyatı bölümlerine yer vermedi. Üniversitede neredeyse her odayı mescid haline getirdi. Üniversiteyi tarikatçıların merkezi yaptı. Türbanlı öğretim üyelerinin ders vermesine göz yumarken, laik düşüncedeki öğretim üyelerinin çalışmalarına sürekli engel oldu."

Abdullah Gül, Cumhurbaşkanı adayı olarak tavsiye ettiği Beşir Atalay için şunları söylüyordu:

"Benim yakın arkadaşım. Yanımda olması benim tercihimdir..." Oysa, aynı zamanda akrabası idi. Ama nedense bu gerçeği dile getiremiyordu.

AKP Milletvekili Prof. İrfan Gündüz'ün, Başbakan Abdullah Gül ile 1960'ların sonlarında başlayan bir arkadaşlıkları vardı. İki arkadaşın ilişkisi üniversite yıllarında gelişiyor. MTBB, MSP, Refah Partisi, Fazilet ve AKP ile devam ediyordu. AKP Milletvekili Prof. İrfan Gündüz İstanbul'da geçen ortak yılları şöyle anlatıyor:

"Abdullah Gül ile Kayseri Büyük Doğu Fikir Kulübü'nde tanıştık. Sonra İstanbul'da devam etti ilişkimiz. İstanbul'da Kayseri Yüksek Tahsil Cemiyeti Başkanı idi, ben de yönetim kurulu üyesiydim. O zamandan kucaklayıcı, mutedil kişiliği ön planda olan bir arkadaşımızdı. Aramızda bir denge unsuruydu.

Abdullah Bey'le çok dünürlük yaptık, az kız istemedik. Mesela Yaşar Karayel'i Abdullah Bey'le ben evlendirdim. 1977'de Recai Kutan'ın Kayseri'de senatör adaylığı kampanyasını Abdullah Gül, Şükrü Karatepe, Talat Yılmaz, Bekir Yıldız ve ben birlikte yürüttük. İlk deneyimimizdi. Abdullah Bey'le beraber girmediğimiz köy kalmadı..."

Gül'ün en yakın arkadaşlarından olan AKP Milletvekili Prof. İrfan Gündüz, 1950'de, Kayseri'nin Yeşilhisar ilçesinde doğdu. Ortaöğrenimini Kayseri İmam Hatip Lisesi'nde tamamladı. İstanbul Yüksek İslam Enstitüsü'nden mezun oldu. Niğde ve Aksaray'da imam hatip Okullarında öğretmenlik yaptıktan sonra İstanbul Yüksek İslam Enstitüsü Tasavvuf Tarihi Asistanlığı'nı kazandı. 1996'da profesör oldu. Birçok tercüme eserleri bulunuyor. 1998'de FP'de Teşkilattan Sorumlu Genel Başkan Yardımcılığı görevini yaptı. Uzak görüşlülüğü ile övündü. Gül'ün ilk turda Cumhurbaşkanı seçileceğini söyledi, ancak yanıldı.

AKP Grup Başkanvekili, İstanbul Milletvekili Prof. Dr. İrfan Gündüz ''Tarikatlar kapatılmamalı'' diyerek, İskender Paşa Cemaati'ne yakınlığını ''Esat Coşan'la baba-oğul gibiydik'' diyerek açıklıyordu.

AKP'li Gündüz, ''Bir boşluk oluşursa, doldurulur'' görüşüyle tarikatların kapatılmasına karşı çıkıyor, zikir ayinlerini ise, insanlığın unutkanlığına karşı ortaya konulan bir metot olarak yorumluyordu.

MTTB 11 Kasım 1967 tarihinde İstanbul'da "Kıbrıs Yürüyüşü" düzenliyordu. Çünkü Kıbrıs'a girmesi Yunanlılarca yasaklanan Rauf Denktaş, gizlice adaya girer ve yakalanarak tutuklanır. Bu olayın ardından ülke genelinde toplantılar, mitingler düzenlenir.

MTTB; İmam Hatip Okulları öğrencilerinin oluşturduğu mehter takımı eşliğinde Taksim'e kadar yürüyor, yol boyunca, "Kahpe Yunan", "Ordu Kıbrıs'a", "Zafer Türk'ündür", "Papaza Ölüm" şeklinde sloganlar atıyorlardı. Hatta "Kılıçla aldık, kalemle verdik", "İntikamını alacağız", "Buyuruculuk Türk'ündür" şeklinde dövizlerde taşıyorlardı.

Dün bu davranışları sergileyen MTTB kökenliler bugün İktidara geldiklerinde, Kıbrıs'ı Rumlara vermek için yarış düzenliyor, Denktaş'a saldırmakla kalmayıp, hakaretler yağdırıyorlardı.

Denktaş o günün MTTB'lilerini şöyle uyarıyordu:

"Kıbrıs milli bir davadır. Geçmişte alınmış milli kararlar, Türkiye'de yeni bir hükümet geldi diye sil baştan yapılacak değildir diye düşünüyorum"

İrfan Gündüz, Abdullah Gül'ü övmeye şöyle devam ediyordu:

"Necip Fazıl, Gül'ü çok severdi. 'Sultan fikir hassa ordusunu Kayseriliden kursa yeridir" derdi. Bir gün Üstad, Abdullah, ben ve bir kaç arkadaş ikindi namazı için Sultanahmet Camii'ne gittik. Ben hem okuyor hem de imamlık yapıyordum. Bu nedenle namazı da bana kıldırdılar. Üstad dışında hepimizin üstünde tiril tiril gömlekler, İspanyol paça pantolonlarımız. Üstad namazdan sonra ellerini havaya kaldırarak, "Şükürler olsun. Bu kubbelerin altı böyle züppelerle dolmadıkça Türkiye'nin kurtuluşu yoktur" dedi..."

Milli Görüş'ün ağır toplarından Yasin Hatipoğlu, Gül'ün milletvekilliği sürecini şöyle anlatıyordu:

"1990 veya 1991'di galiba... Şaban Bayrak arkadaşımızın rahmetli babası Hacı Emmi vardı. Baharat fabrikası sahibi idi. Kayseri'ye gitmiştim, Şaban Bayrak bana, 'Ağabey Hacı Baba seni bekliyor, karpuz yedirecek' dedi. Karpuzları kendi bahçesinde yetiştiriyordu. Gittik fabrikaya karpuz yiyoruz. Bir gençle tanıştırdılar. 'Bu Abdullah Gül... İslam Kalkınma Bankası'nda çalışıyor' dediler. Sarıldık, öpüştük.

Şaban Bayrak konuyu açtı: 'Ağabey milletvekilliği için düşünüyoruz, ne dersin?' dedi. Ben de 'Gayet güzel dedim' Sonra buraya getirdiler, Hoca'yla tanıştırdılar. Referans olanlardan, Hoca'ya telkin ve tavsiyelerde bulunanlardan biri de bendim. Abdullah Gül milletvekili oldu ve Abdullah Gül Genel Başkan Yardımcısı oldu, Abdullah Gül Bakan oldu ve Abdullah Gül bu çizgiyi ilk terk edenlerden oldu..."

Refah'ın Dışa Açılan Yüzü

Gül, RP'nin ilk kongresinde Genel İdare Kurulu'na girdi. 1993 yılında, RP'nin Dış İlişkilerden Sorumlu Genel Başkan Yardımcılığı'na getirildi. Kısa bir süre içinde parti içinde parlayan Gül, 1991-1995 tarihleri arasında, TBMM Plan ve Bütçe Komisyonu üyeliğine seçildi. Bu dönemde partisinin yurt dışı tanıtımında çok aktif roller aldı. Avrupa'nın en büyük siyasi platformu olan Avrupa Konseyi Parlamenterler Asamblesi'nde milletvekili olarak Türkiye'yi temsil etti. 1992'de Avrupa Konseyi Parlamenterler Meclisi üyesi oldu. RP'nin dışa açılan yüzü olarak sivrilen Gül, AB üyesi ülkelerin politikacı, diplomat ve aydınlarının ilgi odağı oldu. Gül, 1995'te RP'den ikinci kez milletvekili seçildi.

Alternatif Dışişleri Bakanı Ve Mahkumiyet

Gül, Erbakan'ın Başbakanlığında kurulan Refah-Yol Hükümeti'nde Devlet Bakanlığı ve Hükümet Sözcülüğü görevine getirildi. TRT ve Türkiye Kalkınma Bankası gibi kurumların yanı sıra KKTC, Türk Cumhuriyetleri ve Yurt Dışı İnsani Yardımlardan Sorumlu Bakan olan Gül, dış politikadaki gelişmelerle de yakından ilgilendi. Yabancı devlet başkanları, bakan ve diplomatlarıyla hükümet adına yaptığı görüşmelerde, her zaman Erbakan'ın yanında yer aldı. D-8 Projesinin hayata geçmesinde rol aldı. Gül, parti çevrelerinde alternatif Dışişleri Bakanı olarak anıldı.

Abdullah Gül, yazdırdığı kitaplarda kendini böyle övdürürken, gerçeğin hiçte böyle olmadığı ortaya çıkıyordu. Gül, Refahyol Hükümeti döneminde devlet bakanı olarak görev yaptığı dönemde özel harcamalarını kendisine bağlı Türkiye Kalkınma Bankası'na yaptırdığı gerekçesiyle hakkında açılan tazminat davasında mahkum oldu. Gül hakkındaki karar, yaptığı harcamaların "kişisel ilişkileriyle ilgili olduğu ve görevi gereği olmadığı" gerekçesine dayandırıldı. 1996 yılının parasıyla 1 milyar 652 milyon liranın faiziyle Gül'den alınmasına hükmedildi. Zarar; Gül'den yasal faiziyle birlikte icra yoluyla alınabildi.

Ankara 18. Asliye Hukuk Mahkemesi'nin 1999/216 sayılı esas ve ardından gerekçesi yazılan 1999/618 sayılı kararında şu tespitler yapılıyordu:

"Davalının bankaya yaptırdığı 1 milyar 652 milyon liralık harcamanın görevle ilgisi olmayan şahsi harcama niteliğinde olduğu saptanmıştır. Kişisel ilişkileri ile ilgilidir. Görev gereği değildir. Teftiş Kurulu tarafından tespit edilen bu para davalıdan istenmiştir. Ancak davalı tarafından ödeme yapılmamıştır. Bunun üzerine uyuşmazlık çıkmış ve dava açılmıştır.

Açıklanan olgular, harcamalara ilişkin belgeler, uzman bilirkişi raporları ve tüm dosya içeriği ile doğrulanmıştır. Bu bakımdan davalı bu harcamaların bedelini bizzat kendisi ödemekle yükümlüdür.

Bu nedenle; 1 milyar 652 milyon liranın yüzde 50 yasal faizi ile birlikte davalıdan alınıp davacıya verilmesine karar verilmiştir..." Abdullah Gül, Ankara 18. Asliye Hukuk Mahkemesi'nin bu kararına itiraz etti. Dosya, Yargıtay 4. Hukuk Dairesi'ne geldi. 4. Hukuk Dairesi, 2000/6788 esas, 2000/7375 sayılı kararı ile, 18. Asliye Hukuk Mahkemesi'nin kararını onadı. Ve Gül, Devletin ve milletin parasını icra zoruyla ödemek zorunda kaldı.

Kayıp Trilyon Sanığı

Abdullah Gül hakkındaki ilk suçlama, kamuoyunda kayıp trilyon davası olarak bilinen davada geçti. Kapatılan RP'ye 1997 yılında yapılan 1 milyon YTL'lik Hazine yardımının, sahte belgelerle harcanmış gibi gösterildiği iddiasıyla açılan "Kayıp trilyon" davasında, dönemin Genel Başkanı Necmettin Erbakan ile birlikte sanıklar arasında Gül de yer aldı.

AKP'den milletvekili olmasıyla birlikte Gül dokunulmazlık kazanmış oldu. Bu nedenle Abdullah Gül hakkında ceza yargılaması yapılamadı. Ancak aynı dosya kapsamında yargılanan Necmettin Erbakan özel evrakta sahtecilik suçundan 2 yıl 4 ay 10 gün hapis cezası aldı ve siyasi yasaklı hale geldi. Bu nedenle Gül'ün Köşk'e çıkmasıyla dokunulmazlığının kalkıp kalkmayacağı da tartışılan konular arasında bulunuyor. Kimi hukukçular, milletvekili dokunulmazlığının Cumhurbaşkanı için geçerli olmadığını ve Köşk'e çıkan kişi hakkında fezleke olması durumunda yargılanabileceği tezini savunuyor. Abdullah Gül'ün kayıp trilyon davası nedeniyle TBMM'de fezlekesi bulunuyor. Gül'ün cumhurbaşkanı olması durumunda kayıp trilyon davasından yargılanıp yargılanmayacağı gelecek günlerde netleşecek.

28 Şubat sürecinde partisini her platformda cılız bir şekilde savunan veya savunuyor görünen Gül, parti içinde yeni bir kuşağın temsilcileri arasında sayıldı. RP kapatıldıktan sonra arkadaşlarıyla birlikte Fazilet Partisi'ne geçiyor, 18 Nisan 1999 seçimlerinde FP'den milletvekili seçiliyordu.

Erbakan'a İlk Bayrağı Açtı

FP'nin emanet usulüyle yönetilmesine itiraz edenlerin başında Gül geliyordu. Gül, bu suretle parti yönetiminden Erbakan ve yakın çevresini uzaklaştırmanın hayalini kuruyordu. Gerçi onlar da yavaş yavaş sahadan çekilmek istiyorlardı ya neyse. Fazilet Partisi yönetimini gençleştirmek ve yenileştirmek isteyen güçlü bir eğilim vardı. Parti içinde 'Yenilikçiler' olarak nitelenen kuşağın başında İstanbul Büyükşehir Belediye Başkanı R.Tayyip Erdoğan geliyordu. Siirt'te halkı kışkırtmak amacıyla okuduğu bir şiir nedeniyle hapse mahkum edilen ve siyaset yasağı konulan Erdoğan'ın parti içindeki mücadele arkadaşları Abdullah Gül, Bülent Arınç, Abdullatif Şener, M. Ali Şahin gibi isimlerdi. Gül, Erdoğan, Arınç, Şahin ve Şener'in desteğiyle 14 Mayıs 2000'da yapılan FP I. Olağan Büyük Kongresi'ne Genel Başkan adayı olarak katılma kararı aldı. Bu karar 30 yıllık Milli Görüş geleneğinde bir ilkti.

Milli Görüş'ün kurmaylarından Yasin Hatipoğlu Gül'ün Milli Görüş'ü ilk terk edenlerden olmasını "üzücü haber" olarak niteliyor ve şunları söylüyordu:

"Abdullah Gül bu çizgiyi ilk terk edenlerden oldu. Ve Abdullah Gül, 'Haberiniz olsun, siz bunlara alışık olmasanız da ben kongrede genel başkan adayı oluyorum' anlamında; Hoca'ya ilk üzücü haberi veren oldu..."

Gül yenilikçi harekette sürekli yolu açan hamleleri yaptı ve yerini hep Tayyip'e terk etti. İsyancıların genel başkan adayı oldu. Genel Başkanlığı daha sonra Tayyip'e devretti. Başbakanlığı emaneten devraldı, Tayyip'in milletvekili olmasının adından makamı Tayyip'e bıraktı. Cumhurbaşkanlığına aday oldu ve çok geçmeden görülecektir ki, burayı da Tayyip'e sunacaktır.

Emanetçi Olmayacağım

Emanetçi ve icazetçi olmayacağını, yetki ve sorumluluk alarak iş yapacak genel başkan olacağını vurgulayan Gül, "Büyük bir partide farklı görüşlerde kişiler olması normaldir, ama temel ilkelerde bir ayrım yok. Olayları daha yakından takip eden, olayların daha çok içinde olan ve reel politikaya daha yatkın olan arkadaşlara 'yenilikçi' deniyor dışarıda. Öncelikle toplumun güvenini sağlamanız gerekir. Bunun için de çok realist olmanız, değişimi kavramanız gerekir. Bunları yaparken de kendi kimliğinizi muhafaza etmelisiniz" diyordu.

Gül büyük baskılara rağmen aday olduğu kongrede 122 oy farkla kaybetti. Delegelerin yarısının oyunu alan Gül, kaybetmişti, ama sonuçlar Kutan için zafer değildi. Gül'ün aldığı oy, parti tabanında yenilikçilerin ne kadar güçlü olduğunu gösteriyordu.

Yavuz Selim tarafından kaleme alınan ve Abdullah Gül övgüsü olan "Gül'ün Adı" adlı kitapta, Gül parti içindeki çalışmalarını şöyle anlatıyordu:

"İşimden istifa ettim, çocuklarımın okullarıyla ilişkilerini kestim ve Türkiye'ye dönüş yaptık. Sonra da kendimi, tamamen geceli gündüzlü parti çalışmalarına verdim. Başka hiçbir işle meşgul olmadım. Kısa bir süre içinde arkadaşlarımın, partideki büyüklerimizin ve tabi ki Erbakan Hocamın dikkatini çektim. Bir çok konuda parti sözcüsü olarak konuşmaya başladım. O yıllarda körfez savaşının devamı, 'Çekiç Güç' meseleleri vardı. Dış politika çok önemliydi doğrusu. Ben de o konularla ilgili yaptığım konuşmalarla epeyce dikkat çekiyordum. Sonra ilk kongrede Erbakan Hoca'nın ve parti büyüklerimizin teveccühü ile Genel İdare Kurulu Üyeliğine seçildim. Sonra başkanlık divanında görev aldım. Daha sonraki seçimde de bu görevim devam etti.

Bu arada dikkatimi çeken bir şey oldu. İçimize kapanık bir partiydik. Kendi kendimize gelin güvey oluyor, kendi kendimize düşüp kalkıyorduk. Partinin dışındaki çevrelerle ilişkimiz yok gibiydi. Genel Merkez'de Hoca'nın makamına, ayakkabılar çıkartılır, terlikle girilirdi. Kopuktuk... Ama o yıllarda toplum, sosyolojik olarak Refah Partisi'ne çok meyletmişti ve parti yükselen bir trendi yakalamıştı. İstanbul'da yapılan belediye seçimlerinde, altı başkanlığın dördünü kazanmıştık. Bu neticeler, içerde ve dışarıda büyük bir dikkat çekmişti. Ben Dış İlişkilerden sorumlu Genel Başkan Yardımcısı olduğum için, dış dünyanın bizim üzerimizdeki dikkatlerini çok iyi takip edebiliyordum. Yabancı gazeteciler, diplomatlar, bir çok kuruluşun temsilcileri akın akın Türkiye'ye geliyordu. Partimizi ve bizleri tanımaya çalışıyordu. Onların da tek kapısı bendim. Görevim de buydu zaten. Günde dört beş heyeti kabul ederdim..."

Gül'ün bahsettiği yabancı kuruluşlar, ABD, İngiltere ve İsrail'in Büyükelçilik görevlileri ve İstihbarat elemanlarıydı. 1997 yılında kısa adı ADL olarak bilinen Anti-Defamation League adlı Amerikan Yahudi kurumunun Başkanı Abraham H. Foxman ve ekibi Türkiye'ye geliyordu.

Foxman ve ekibi Ankara'da Abdullah Gül ve Fehim Adak'la görüşüyor, doğrudan Amerikan yönetiminin önemli ve stratejik mesajlarını iletiyorlardı. O günlere kadar Yahudi kuruluşları ve ABD ile İngiliz elçileri arasında yapılan görüşmeler yavaş yavaş gün yüzüne çıkıyor, CIA Ortadoğu Masası Şefleri'nin organizasyonları belirginleşiyordu.

ADL heyetiyle konuşan ve bir zamanlar "Ben Türk değil Arap milliyetçisiyim" diyen Fehim Adak "Yahudi toplumuyla olan diyaloglarının süreceğini" belirtiyordu.

Söz sırası kendine gelen Gül ise adeta döktürüyordu. O görüşmede Gül şunları söylüyordu:

"Türk halkı Yahudi vatandaşlarına karşı hoşgörülü ve dosttur. Anti-Semitik açıklamalar yani Yahudi aleyhtarı konuşmalar kıyıda köşede kalmıştır. Halk arasında yankı bulmamaktadır..."

Gül, Yahudi aleyhtarı konuşmaların kıyıda köşede kaldığını, Yahudilere Erdoğan'ı götürüp, Erdoğan'ın da bu şekilde konuşmasını sağlayarak Yahudilerin ve ABD'lilerin güvenini kazanıyordu.

11 Haziran 2005 tarihli AKP ve Erdoğan'a yakınlığı ile bilinen Vakit gazetesi her yıl verilen ödüllerden birini daha haber yapıyordu. ADL, yani Anti Defamation League'nin Çevik Bir'e verdiği aynı amaçlı ödül için **"Yahudilerden üstün hizmet madalyası"** başlığını kullanırken, Tayyip için hafif bir kıvırtma yaparak **"Musevilerden Cesaret Ödülü"** açıklamasında bulu-

nuyorlardı. Gerçekte ADL, bu ödülleri kendilerine üstün hizmet edenlere veriyordu.

Tayyip'in ödülü almasını Dışişleri Bakanı Abdullah Gül, Devlet Bakanı Ali Babacan ve Milli Savunma Bakanı Vecdi Gönül izliyordu. Tayyip, ödül alırken şöyle döktürüyordu:

"Musevi düşmanlığı utanç verici bir akıl hastalığının tezahürüdür, katliamla sonuçlanan bir sapkınlıktır, sapıklıktır... Soykırım, etnik temizlik, ırkçılık, İslam düşmanlığı, Hıristiyan düşmanlığı, yabancı düşmanlığı ve terörizm geçmişten bu güne kadar devam edegelen aynı kötülüğün farklı yüzleridir... Başka dinlere hoşgörü göstermek bize Peygamberimizin mirasıdır.... **Musevi düşmanlığının Türkiye'de yeri yok**..."

Oysa Meclis Başkanı AKP Manisa Milletvekili Bülent Arınç, 3 Kasım 2002 seçimleri öncesi "Şeref Madalyalarımız" dediği konuşmalarında Yahudiler için şöyle diyordu:

"...Şöyle bir hadisi şerif var, Müslümanlarla Yahudiler harp etmedikçe kıyamet kopmayacaktır. Bu harpte Müslümanlar galip gelecektir, öylesine galibiyet ki, Yahudiler taşların ve ağaçların arkasına saklanacak, ağaçlar haber verecektir, "Ey Müslüman arkama Yahudi saklandı gel onu öldür" diyeceklerdir".

Gül'ün Arınç'la düşüncelerinin ayrıldığı başka konular da oluyordu. Abdullah Gül çok koyu bir Hülya Avşar hayranı. 17 Kasım 2002 tarihli Vatan Gazetesi'ne göre, Hülya Avşar'ı beğeniyor, ancak bunu bir kez açıkça söylediği için Milli Görüş camiasından aldığı tepkiler nedeniyle bunu tekrarlamaktan kaçınıyor. Oysa Bülent Arınç, Tekirdağ-Malkara'da yaptığı konuşmada Hülya Avşar için "Fettan bir kadın her önüne gelenle düşüp kalkıyor" diyordu.

Abdullah Gül sayısını hatırlayamadığı kadar "hacı" olduğunu anlatırken, kendisine Bill Clinton'u ve Tony Blair'i örnek aldığını söylüyordu.

Tayyip'i Yahudiler İle Buluşturdu

Gazeteci Sabahattin Önkibar, ADL Başkanı Yahudi Abraham Foxman ile Tayyip Erdoğan'ın ilk buluşmasını anlatıyordu. Bu buluşmada Gül'ün rolü tüm çıplaklığıyla görülüyordu. Önkibar, köşesinde bu ilginç görüşmeyi "Sürpriz randevu" başlığı ile veriyordu.

"Adı: Anti Defamation League. Kısa adı ADL olan bu kuruluş Museviler'in bütün dünya tarafından bilinen en etkin örgütü. Merkezi ABD'de olan ve Kongre ile Beyaz Saray'daki etkili ile de bilinen örgütün kuruluş gerekçesi, Yahudiler'e karşı yapılan hakaret ve karalama kampanyalarına karşı çıkmak. Kuruluş ya da örgütün son dönemlerdeki ilgi alanlarından biri de radikal İslami hareketler. Bu bağlamda Türkiye ile de ilgililer ve bizdeki radikal İslami çevreleri yakından izliyorlar.

Türk Cumhurbaşkanı ve başbakanların, ABD seyahatlerinde üst düzey sorumluları ile mutlaka görüştükleri bu Musevi kuruluş, aynı zamanda Türkiye'nin ABD'deki Rum ve Ermeni lobilerine karşı en etkili silahı ya da yoldaşı. İşte ABD yönetiminin dışında, finans ve medya dünyasında da büyük ağırlığı olan bu dünya Musevi örgütünün başkanı Abraham Foxman birkaç gündür İstanbul'da. Foxman emin olduğum bir kaynaktan dinlediğime göre Recep Tayyip Erdoğan'la görüşme için ülkemize gelmiş."

Erdoğan, Abraham Foxman'dan alınan randevuya rağmen, görüşmekten çekiniyordu. Gül ise kendisini ikna için epeyce ter döküyordu:

"ABD'li Musevi önder gelmiş gelmesine de, randevusu olmasına rağmen Tayyip Bey'le başlangıçta görüşmemiş. Bunun üzerine Abraham Foxman'ın Erdoğan'la olan randevusuna aracılık eden kamuoyunun tanıdığı iki isim telaşlanıp soluğu Abdullah Gül'de almış ve misafirin ehemmiyetini anlatarak Tayyip Bey'i görüşmeye ikna etmesini istemiş. ADL'nin gücü ve önemini bakanlık günlerinden de bilen Abdullah Gül, dinlediğime göre Erdoğan'ı hemen aramış ve Foxman'la görüşmenin önemini anlatmış. Tayyip'ten cevap: "Abdullah Bey, bu insanların ehemmiyetini biliyorum, ancak ya buluşma basına sızar ve görüşmemiz duyulursa ben ne yaparım? Hoca'nın taifesi ruhumu şeytana satmakla itham etmez mi beni?"

ADL için Erdoğan nezdinde arabuluculuk yapan Abdullah Gül'ün cevabı ise, bu tür görüşmelerle ilgili nasıl bir yaklaşımı olduğu konusunda ilginç ipuçları veriyordu:

"...Gül'den cevap: "Doğru böyle bir risk var, ama görüşme gizli tutulur. Çok çok duyulursa, yalanlar kabul etmeyiz. Bu buluşma dışarıya vereceği mesajlar anlamında fevkalade önemli."

Erdoğan: "Evet öyle, ama açıkçası yanlış yorumlanır diye ürküyorum. Adam hala İstanbul'da mı?"

Gül: "Evet, haber bekliyor."

Erdoğan: "Tamam o zaman görüşelim, ama çok gizli tutmalıyız. Ayrıca merak ediyorum, bu adamlar neden ısrarla görüşmek istiyor."

Buluşma Gerçekleşiyor

"Ve buluşma gerçekleşmiş... Dinlediğime göre Musevi lider, Tayyip Erdoğan'ı bir süredir ilgi ile izlediklerini söylemiş ve dahası, Türk toplumunda var olan popülaritesini de biliyorlarmış. Ziyaret sebebi ise Erdoğan'ı yakından tanımak ve görüşlerini birebir dinlemekmiş. Abraham Foxman konuşma boyunca birkaç kez "Türkiye bizim için çok önemli, yarınında yönetimde söz sahibi olacaklar la dostluk çerçevesinde ilgileniyoruz" demiş. ADL Başkanı bölgeye ve Türkiye'ye tatil amacı ile geldiğini ve bu vesile ile de kanaat depolamak istediğini ifade etmiş."

Foxman, "kanaat depolamak" için yaptığı bu görüşmede, aslında tahmin edilmesi hiç de zor olmayan konularda sorular yöneltiyordu Erdoğan'a.

"Buluşmada Tayyip Erdoğan'ın radikal İslamcı gruplara ve Yahudiler'e bakışı, özellikle gündeme gelmiş. Buna ilaveten Orta Doğu ve İsrail'le ilgili kanaatler de bir bir not edilmiş. Türkiye ile İsrail arasında varolan savunma işbirliğinden İran'a kadar pek çok hassas konuya da girilmiş. İki saati aşan konuşma ekonomiden jeopolitiğe beyin fırtınası hüviyetli bir ufuk turu olmuş."

Abdullah Gül'ün Yahudilerle bu denli içli dışlı olmasında

etkin olan isimlerden biri de Ahmet Ertegün'dü. Ertegün'ün Özbekler Tekkesine gömülmesi sırasında ve cenazesinde en çok yorulan isimlerin başında Abdullah Gül geliyordu. Gül, Ertegün'ün tabutunu sırtında taşıyordu.

Yalçın Küçük, Gül'ün eşi için, "İbrani" dediğinde elektriğe tutulmuş bir Toy gibi çırpınıyor, hemen kağıda kaleme sarılıp mektup yazıyordu. Keza Sabri Ülker'de Yahudiliği konusunda Küçük'e mektup yazanların başında geliyordu. Oysa mahkemeye gitseler mahkeme kararı ile soy durumları kesinleşecekti.

Gelin Yalçın Küçük'e hak vermeyin... Ahmet Ertegün'ün tam ismi; Ahmet Münir Ertegün'dü. Gül'ün oğlunun ismi ise; Ahmet Münir'di. Ahmet Ertegün'ün annesinin adı Hayrunnisa iken Gül'ün eşinin adı da Hayrunnisa'ydı. Tesadüftür, tesadüf(!!!??), Ahmet Ertegün'ün eşinin adı Mica idi ve kendisi Hristiyandı. Ahmet Ertegün ABD vatandaşı ve ABD derin devletinin en önemli isimlerindendi.

Washington Çıkarması

Abdullah Gül'ün 18 Şubat 1997 tarihinde ABD'yi ziyaret edeceği adeta görücüye çıkacağı planlanıyordu. Görüşmelerin büyük çoğunluğu Yahudi kuruluşları ile yine Amerika'yı yöneten Yahudi kontrolünde olan kurumlarla geçecekti.

Nasuhi Güngör tarafından kaleme alınan ve Erdoğan ve Gül'ün ABD ve Yahudilerle olan ilişkilerini anlatan "Yenilikçi Hareket" adlı kitabın 111. sayfasında yer alan ve Gül'e daha sonra "Yenilikçilerin önde gelen ismi" olma kapısını açan bu geziye biraz daha yakından bakalım:

"Devlet Bakanı Gül ve beraberindekilerin Washington çıkarmasına büyük ilgi vardı. Abdullah Gül ve beraberindeki heyet ilk olarak Washington'da düzenlenen Türk-Amerikan İş Konseyi'nin yıllık toplantısına katılarak açılışı yaptı. Dört bakan ve üst düzeyde birçok Türk ve Amerikalı yetkili, siyasetçi ve işadamlarının katıldığı toplantıya rağbet oldukça fazlaydı.

Gül, Amerika'daki temaslarında önemli mesajlar veriyordu: "ABD ile ilişkilere önem veriyoruz. Gizli ambargo kalkmalı. Demokrasi ve laiklik önemli. Sincan'ı büyütmeyin. Her şeyden önce Avrupalıyız. İran komşumuz. Kıbrıs'a yeni yaklaşım gerekli. Refah'ı söyledikleri ile değil yaptıkları ile değerlendirin. NATO konusunda tavrımız açık."

Gül ilk olarak ABD'nin eski Ankara Büyükelçisi Richard Barkley'ı kabul ederek bir süre görüştü. Türk lobi şirketlerinin seçiminde etkili olan Cumhuriyetçi Barkley ile Gül'ün Türk-Amerikan ilişkilerini gözden geçirdiği ve ortak strateji üzerinde görüş alışverişinde bulunduğu bildrildi.

Türk Büyükelçiliğinde gerçekleştirilen ve ABD Dışişleri Bakanlığı'ndan Güney Avrupa Dairesi Direktörü Carey Cavanaugh, Pentagon'dan General Carlos ve diğer üst düzey yetkililerin yer almamasına rağmen gerçekleştirilen görüşmede Kıbrıs ve silah ambargosu konuları gündeme gelmişti.

Gül Carnegie'de

Carnegie Vakfı, CIA'nın bir kolu gibi çalışıyor, Başkanlığını ise Yahudi ve Mason Morton Abromowitz yürütüyordu. Abromowitz CIA'nın Ortadoğu Masası Şefi ve 1996 yılında CIA başkan adayıydı. Fetullah Gülen 8 Şubat 1998 günü Vatikan'a hareket ederken, Papa ile buluşmasını Abromowitz'in sağladığını şu sözleri ile açıklıyordu:

"Birkaç ay önce Abromowitz cenaplarının yardımıyla bu buluşma gerçekleşti" diyordu. İsrail, İngiltere ve ABD, siyasi grup olarak AKP'yi, tarikat olarak Nurcuları ve Gülen Cemaatını tercih ediyorlardı.

Abdullah Gül, ABD'nin önde gelen strateji kuruluşlarından Carnegie Endowment or International Peace'de de bir konuşma yaparak Amerikalıların sorularını da cevapladı. Basına kapalı olan toplantıda Gül RP'yi anlatmıştı.

Eski Ankara Büyükelçisi Morton Abromowitz'in başkanlığındaki bu kuruluştaki toplantıda Gül'ün konuşması hayli beğeni toplamıştı. Abdullah Gül için "Geleceği parlak ve takıntıları olmayan modern bir isim" tanımlaması yapılıyordu.

İsrail konusundaki görüşleri bir hayli "cesur"du Gül'ün. Bu ülkeyle Türkiye'nin önemli ortak noktaları olduğunu, RP'nin de buna karşı olmadığını söyledi.

ABD Laikliği İstiyoruz

Gül, Amerikalı gazeteciler ile bir sabah kahvaltısı yaptı. Türk gazetecilerin alınmadığı toplantıda gündeme gelen konular şunlar oldu: Sincan olayları ve ordunun muhtemel müdahalesi, İran'la ilişkiler ve doğalgaz petrol anlaşması, laiklik, NATO'nun genişlemesi ve Türkiye'nin veto tehdidi, Kıbrıs konusundaki gelişmeler. Gül, hükümetinin laiklik anlayışının ABD'nin vurguladığı laiklik anlayışıyla paralel olduğunu vurguladı.

Washington Post Gazetesi'nin yayın kurulu ile de görüşen Gül, Türkiye'nin bir Avrupa ülkesi olduğunu söyledi. Gül, Dışişleri Bakanı Vekili ve Yardımcısı Peter Tarnoff ile de bir araya geldi. Görüşmenin detaylarını açıklayan Gül, "Bakan Yardımcısı ile daha ziyade askeri ve güvenlik konularını görüştük. ABD tarafından uygulanan gizli silah ambargosu üzerinde durduk. Bunun kalkması gerektiğini belirttik. Firkateynler konusu gündeme geldi." dedi.

Helikopter ve firkateynlerin teslimi için ABD'nin söz verdiğini açıklayan Gül, toplantı esnasında insan hakları konusunun gündeme gelmediğini söyledi.

Turkish Daily News'in yemeğinde de konuşan Gül, geçen altı aylık hükümetleri süresinde her iki tarafın da ilişkiden duyduğu memnuniyeti ifade ettiğini söyledi.

Abdullah Gül'ün sık sık muhatap olduğu konulardan biri Sincan ve ertesinde gelişen olaylar ile ilgili oldu. Gül tankların Sincan'da yürümesini "Basit bir eğitim programı gereği olarak" değerlendirdi.

Gül, yoğun bir görüşme trafiği yürütüyordu. Amerikan Müslüman Konseyi üyeleri ile bir görüşme yaptıktan sonra, Senato Pro-Tempore Başkanı Senatör Strom Thurmond ile bir araya geldi. Ayrıca Washington Times Gazetesi yetkilileri ile de görüştü.

Gül, Gizli Dünya Devleti'nde

Ve Abdullah Gül temaslarını, eğer bir dünya devleti varsa, bunun en azından zihinsel merkezi olan CFR ile, yani Council of Foreign Relations ile tamamladı. Bu görüşmenin önemini Fehmi Koru köşesinde şöyle değerlendiriyordu:

"Aslında, Washington da, Refah Partisi'nin iktidar olmasına, bazılarının sandığı kadar ters bakmıyor. Washington'un esas hazzetmediği Refah-Yol'un öteki ortağı Tansu Çiller'e duyulan kızgınlığın temelinde "Refah'ı iktidara getirmek" yattığı çoktan unutulmuş; ama kızgınlık orada duruyor... Devlet Bakanı Abdullah Gül'e gösterilen Refah'ı anlamaya yönelik üst düzey ilgi, yönetimin tavrını dışa vuruyor zaten; ancak New York'ta siyasiler kadar bile bir tutukluk yok... Devlet Bakanı Gül'ün Amerika'nın finans başkentinde yapacağı temaslar, hükümetin ekonomik politikalarını anlatmaya yönelik olacak."

Dünyanın en etkili düşünce üretim merkezi olarak bilinen "Council on Foreign Relations'in bir sıfatı da "dünya hükümeti"dir. Gerçekten de, CFR ve doğumuna izin verdiği Trilateral Commission ve Bilderberg gibi örgütler, dünya sınırlarına aldırmaksızın faaliyet göstermekteler. İkinci Dünya Savaşı sonrasında, San Fransisco Konferansı'nı toplayarak Birleşmiş Milletler'i oluşturduğu, ardından Dünya Bankası ile Uluslar arası Para Fonu'nun kuruluş kararları alınan Bretton Woods anlaşmasını kotardığı günden beri, CFR, dünyanın en güçlü siyasi örgütü. Rockefeller ailesinin ağırlığı hissedilen, iş ve finans çevrelerinin etkisindeki bu kuruluş, dünyadaki gelişmeleri doğrudan veya dolaylı olarak belirleyebiliyor... CFR'nin ve yandaşlarının reddettikleri bir iddia, bu kuruluşun "tek bir dünya devleti" peşinde koştuklarıdır. Belli çıkar çevrelerine hizmet edecek, sömürü ve yağma üzerine kurulu bir devlet... BM'nin kuruluşuna o hülyayı gerçekleştirme yolunda bir adım olarak bakanlar çıktı. Şimdi de, Amerika'nın güdümünde oluşan "Yeni Dünya Düzeni'nin bir CFR projesi olduğu iddiası var. Bu örgütün 1930'lara kadar uzanan yayınlarına göz gezdirildiğinde, "tek dünya" ve "tek devlet" gibi kavramlarla sıkça karşılaşılıyor gerçekten.

Bu açıdan, Abdullah Gül'ün, CFR'nin kapalı kapıları arkasında vereceği mesaj çok önemli. CFR, her yönden, New York'un hassasiyet ve önceliklerini yansıtan bir örgüt. Dünyayı tek dürbünün merceğinden görmek bile finans-kapitalin yapısın uygun. Oluşmasına katkıda bulundukları yeni global sistem, çok çıkarcı, sömürücü, katılımcılığı öldüren, hak ve özgürlüklere aldırmayan bir düzen de olabilir pekala; İslam Dünyası'nı dışlayarak çaresizliğe de itebilir... Dünyayı ateşe verecek köklü altüst oluşlar, finans-kapitalin çıkarına uygunsa, bunu neden göze almasınlar? Oysa, ikna yoluyla, daha katılımcı, eşitlikçi, adaletli ve herkesin çıkarına bir dünyaya da geçit verebilir yeni düzen."

Gül'ün "gizli dünya devleti" ziyareti böyleydi. Ancak Abdullah Gül, bu ziyaretini daha sonra da tekrarladı. TBMM Dışişleri Komisyonu ile birlikte 2001 Nisan ayında ABD'ye yaptığı ziyarette, ilk duraklarından birisi CFR oldu. Bu kez "Yenilikçi hareketin liderleri"nden birisi olarak orada konuşma yaptı. Ayrıca eski Ankara Büyükelçisi ve şimdiki ABD Dışişleri Bakan Yardımcısı Marc Grossman'la da bir görüşmede bulundu.

Yahudi Komitesi Ve Gül

Abdullah Gül, Amerika'da en etkin kuruluşlardan sayılan Amerikan Yahudi Komitesi ile de bir araya geldi. Gül, 24 Şubat 1997'de ABD'de Türk Büyükelçiliği'nde American Jewish Comitte ile yaptığı bu görüşmede "Yahudilerin en rahat olduğu ülke Türkiye" açıklamasını yapıyordu.

Abdullah Gül'ün gezisinde birbirinden önemli temasları vardı. ABD Başkanı'nın Güvenlik Başdanışmanı Yahudi asıllı Sandy Berger, ABD Savunma Bakanı Yardımcısı Jan Laudal ve Dışişleri Bakanı Yardımcısı Peter Tarnoff ile görüştü.

Gül'ün bu gezisinde ABD'nin finans çevreleriyle de sıcak ilişki kurduğu basına yansıdı. Gül, New York Borsa Başkan Yardımcısı George Ugeux ve ABD'nin önde gelen finans kurumları Lehman Brothers ve Meryll Lynch ve Bear Sterns isimli yatırım bankasının yetkilileri ile Türkiye'deki özelleştirme ihalelerini ve enerji sektöründeki yatırımları konuştu.

Gül, artık ABD'nin en yakından tanıdığı RP'li olmuştu. Bu sıcak diyaloglar, Refah-Yol Hükümeti düştükten sonra, özellikle de Gül, Yenilikçi harekete öncülük ettiğinde devam edecekti.

Ama Gül'ün yer aldığı ya da davet edildiği görüşmeler sadece bunlarla da sınırlı değildi.

Abdullah Gül'ün aldığı pek çok davet arasında bir tanesi gerçekten büyük önem taşıyordu. Gül, 1997'nin Ağustos ayında İskoçya'da yapılan "Three Lateral Comission" toplantılarına yapılan davet üzerine devlet bakanı sıfatıyla katılacaktı. TLC toplantıları masonik bir örgütlenme olarak tanınıyor, fakat hakkındaki bilgiler son derece sınırlı kalıyordu. Hiyerarşik olarak, Bilderberg toplantılarının bir üstünde yer alıyor. Ancak hükümet düşünce Abdullah Gül bu önemli toplantıya katılamadı.

Gül ve Derin Amerika

Nasuhi Güngör, Gül'ün USIP'in düzenlediği toplantıya katılmasını haber yaptığında hem Gül'den, hem de danışmanı Murat Mercan'dan tepki aldığını anlatıyor, "Yenilikçi Hareket" kitabında bu geziyi şöyle aktarıyordu:

"Gül, bu önemli toplantıya gidemedi, ama en az onun kadar önemli bir başka toplantıya Türkiye'den katılanlar arasında yer alıyordu. Bu kez adres USIP'ti (Abdullah Gül'ün, Amerika'nın en önemli kuruluşlarından olan United States Institute of Peace (Birleşik Devletler Barış Enstitüsü) ile olan teması, ilk kez Yeni Şafak'ta benim imzamla yayınlanınca, 7 Kasım 1997'de, hem kendisinden hem de danışmanı Doç. Dr. Murat Mercan'dan olumsuz tepkiler aldım. İkisinin de tepkileri görüşmenin varlığı ile ilgili değil, görüşmenin yansıtılma biçimi üzerinde oldu.)

Toplantının Abdullah Gül açısından son derece önemli bir yanı vardı. RP'li kimliğinden bağımsız olarak ve partinin bilgisi olmadan katıldığı en üst düzeydeki bu temas Gül için adeta yeni bir başlangıçtı.

USIP konusunda ayrıntılı bilgiye geçmeden önce, bu kuruluşun Londra'da düzenlediği toplantıya dönelim. 1997 Kasım'ındaki toplantının Abdullah Gül dışında aslında oldukça dikkat çekici katılımcıları vardı. Örneğin, kısa zaman içinde Erbakan'a karşı yürütülen muhalefet içinde önemli bir yer tutan dönemin MÜSİAD Başkanı Erol Yarar da toplantıya katılmıştı. Yarar'ın ismi, Yenilikçi hareket içinde kısa bir süre için lider adayları arasında geçti. Ancak o da 312. maddeden "dur" ihtarı alınca sessizce geriye çekildi. Ancak Erbakan'ın bizzat geliştirdiği projeler arasında yer alan MÜSİAD, kısa zaman içinde Yenilikçi hareketi destekleyenler arasında yerini aldı.

USIP toplantısında Türkiye'den dönemin ANAP Milletvekili İlhan Kesici ve DYP milletvekili Ayfer Yılmaz gibi isimler de vardı. Davetli olan TBMM Başkanı Hikmet Çetin ise görevine yeni seçildiği için gidememişti. Ancak Türkiye açısından tanıdık olanlar, sadece bu isimlerle sınırlı değildi. Amerikan Dışişleri Bakanlığı Dış Hizmetler Genel Direktörü Mark Grossman ve Morton Abromowitz. Her iki ismin dikkat çekici ortak özelliği, Türkiye'de büyükelçisi olarak görev yapmalarıydı. İkisinin de Yahudi olduğunu hatırlatmak yerinde olur sanıyoruz.

Toplantının diğer önemli katılımcıları arasında, ABD Hava Kuvvetleri'nden General Richard Solomon, Savunma Bakanı Danışmanı Walter Slocombe, George Mason Üniversitesi öğretim üyesi Martin Lipsit ve ABD İsrail Halkla İlişkiler Komitesi (AIPAC) Başkan yardımcısı Harriet Zimmerman.

Londra'daki toplantının muhtevası, genel olarak Türkiye-ABD ve Orta Doğu ekseninde gerçekleşti. Kapatılan RP'nin durumu değerlendirildi. Bunun için de ülkelerinde "liderlik kumaşı taşıyan" isimler kendi ülkeleri hakkında değerlendirmelerde ve konuşmalarda bulundular...

USIP toplantısının yapıldığı sıralarda ilginç bir rastlantı vardı. Tayyip Erdoğan da aynı günlerde Londra'da bulunuyordu. Ancak kendisi bu toplantının en azından resmi katılımcıları arasında yer almıyordu.

Merkez de Amerika'nın en etkili Yahudilerinin bulunduğu USIP, deyim yerindeyse tam anlamıyla bir "derin" Amerika.

Statüsü ise bir hayli ilginç. Beyaz Saray'ın Ulusal Güvenlik Örgütü olan NSA ile aynı statüde kabul ediliyor. Ancak zaman zaman USIP'ın oluşturduğu konseptler öncelikle ele alınabiliyor.

Gerek CIA ile gerekse de Pentagon ile sürekli diyalog halinde bulunan USIP, bir anlamda, "emekli" olan ama "emek" harcamaya devam edenlerin barındığı bir merkez durumunda. Üyeleri arasında üst düzey askerler, diplomatlar, bilim adamları ve araştırmacılar bulunuyor.

USIP'ın uluslar arası düzeyde ilgilendiği en önemli konular arasında ilk sırada, İsrail'in varlığı ve güvenliği geliyor. Ancak bu güvenlik meselesi çok boyutlu olarak ele alınıyor. Askeri, siyasi ve ekonomik açılardan güvenlik konseptleri belirleyen USIP için, düzenlediği toplantılarda bu konular öncelikli olarak ele alınıyor.

Türkiye gibi Müslüman ülkelerdeki gelişmeler ise ayrı bir duyarlılıkla izleniyor ve toplantıların katılımcılarına İsrail'le ilişkiler konusundaki görüşleri soruluyor. Daha açık bir ifadeyle öğrenilmek istenen şu: "Türkiye'de iktidar olma ihtimali bulunan adayların, İsrail ve Orta Doğu politikalarını ortaya koymaları".

USIP; ABD'nin resmi hiyerarşisinde 1984'den beri yer alıyor. Kuruluşunun yöneticilerini Başkan seçiyor ve Senato'nun onayına sunuyor. Yıllık bütçesi 10 milyon doları aşan kuruluşun yönetim kurulu her zaman Yahudi ağırlıklı isimlerden oluşuyor.

USIP konusundaki bir başka önemli bir not Cengiz Çandar'la ilgili. Yenilikçi hareketin hararetli savunucularından Yeni Şafak yazarı Cengiz Çandar, USIP'ta bir dönem çalışanlar arasında yer alıyor. Ekim 1999 ile Haziran 2000 tarihleri arasında demokrasi ve İslam konuları ağırlıklı olmak üzere çalışmalar yaptı..."

Geleneğe Karşı İlk Aday

Abdullah Gül, bu uzun görüşmeler zincirinin ardından zaman içinde Yenilikçi hareketin Erdoğan'dan sonraki ikinci ismi oldu. Erdoğan'ın yasağı süresince Gül, hareketin liderliğini yaptı.

Fazilet Partisi'nin tartışmalı kongresine Abdullah Gül, Recai Kutan'ın karşısına genel başkan adayı olarak girdi. Bu gelişme kimse için sürpriz olmamıştı. Hareketin diğer önemli isimleri, Bülent Arınç, Abdüllatif Şener ve yasaklı olduğu için Tayyip Erdoğan, Gül'ün adaylığı üzerinde anlaşmışlardı.

Gül'ün adaylığını çok önceden haber verenler de vardı. CIA'nın yayımlattığı ünlü gazete Christian Science Monitor (CSM) bunlardan birisiydi. CSM, RP'nin kapatılmasını konu edindiği 20 Ocak 1998 tarihli yorumunda Gül için **"Gül, RP'nin lider adaylarından ılımlı bir isim"** olarak bahsetti. CSM'nin Ankara muhabiri Scott Peterson'un kaleme aldığı yorumda Gül'ün görüşlerine geniş yer verdikten sonra şu değerlendirme yapıldı: "Partisindeki bazı katı isimler onlarca yıllık laik düzeni değiştirme çağrısı yaparken Abdullah Gül, mini etekle başörtüsünün el ele yürümesinden söz ediyor, partisinin İslami giyimi, eğitimi ya da hukuku zorla getirmek istemediğini söylüyor."

Abdullah Gül'ün Gizli İşleri

Abdullah Gül denince insanın aklına, hemen İngiltere, İsrail ve ABD'lilerle gizli görüşmeler yapan bir isim geliyordu. Gazeteci Hasan Demir, Yeniçağ Gazetesi'nin 26 Nisan 2007 tarihli sayısında "Abdullah Gül'ün Gizli İşleri" başlığı altında şunları yazıyordu:

"Sayın Gül'ün Cumhurbaşkanlığı'na aday gösterilmesi konusunda yazmayı hiç düşünmüyordum.

Çünkü Gül benim için Irak'ın kuzeyinde Mehmetçiğin başına çuval geçirildiğinde ABD'yi, "Büyük devletler özür dilemez ki" diye savunan ve Peşmerge önderliğinde Telafer'de Amerikan güçleri Türkmen katliamı başlattığında, "Orada Türkmenlere yönelik bir şey yok, Felluce'den kaçan teröristler

Telafer'e sığınmış, operasyon Türkmenlere değil!" demiş, diyebilmiş biriydi..."

Abdullah Gül bu sözleri söylemekle kalmamış, o zor günlerde Kayseri'ye gitmiş eski milletvekili Şaban Bayrak'ın kızının nişanında eğlenebilmişti. Neyse biz yine dönelim Hasan Demir'in anlatımlarına:

"...Gelin görün ki, Erdoğan tarafından Gül'ün adı telaffuz edileli beri ülkede öyle bir hava estirildi ki sanki Türkiye bütün borçlarını sıfırladı, nükleer güce kavuştu, PKK kendini tasfiye etti ve işsizlik sıfırlandı gibi bir manzara çıktı ortaya.

Türkiye'de bir "zafer havası"dır esip gitmekte. Bu haller bize tarihimize "17 Aralık Zirvesi" diye geçen bir hadiseyi hatırlatıyor.

Yıl 2004.

AB, "Gümrük Birliği Ek Protokolü'nü Kıbrıs Rum Kesimini de içine alacak şekilde imzalarsa" diyordu, "Türkiye ile müzakerelerin açılmasına başlayabiliriz!" Bir gün sonra 18 Aralık'ta Ankara'ya dönen Erdoğan, Esenboğa yolu üzerinde kilometrelerce uzunlukta bir konvoyla karşılanıyor, Kızılay'da güpegündüz havai fişek gösterileri yapılıyordu.

Peki ya sonuç?

Sonuç AB ile ilişkilerimizin geldiği işte bugünkü perişanlık.

Tarih, 24 Mayıs 2003.

Dışişleri Bakanlığı binasındayız.

Abdullah Gül, Vatan Gazetesi Yazarı Sedat Sertoğlu'na bakınız neler söylüyor:

"Ben bu gezileri yapmadan önce, şimdi senin oturduğun koltukta (eliyle koltuğa vurarak) ABD Dışişleri Bakanı Powell oturuyordu. Onunla 2 sayfalık 9 maddelik bir plan üzerinde anlaştık. Ama ben her yaptığımı kalkıp anlatamam ki...

Gül'ün işte o "anlatamadığı" ve bizim 23 Şubat 2004 tarihli yazımızda bir bölümünü Yeniçağ okurlarıyla paylaştığımız "gizli işler"in bugüne kadar birçok maddesi olaylarla doğrulanan tam metni aşağıdadır.

"Türk ordusu bundan böyle hangi gerekçe ile olursa olsun, sınır ötesi harekette bulunmayacak.

PKK'ya karşı Türkiye'nin egemenlik alanı içinde yapılacak askeri harekatlar için, ABD askeri makamlarına bilgi verilecek.

Türkiye, ABD'nin İran'a ve diğer Ortadoğu ülkelerine karşı uygulayacağı sınırlı askeri hareketlere, şartsız olarak üs ve taşıma kolaylığı sağlayacak. Askeri birlik verecek. Türk birliklerinin üst komuta yetkisi, ABD komutanlığına verilecek.

Türk ordusunun asker sayısı ve silah kuvveti, ABD'nin uygun gördüğü sayı ve kabiliyete indirilecek. Özellikle tank ve ağır silahların miktarı düşürülecek. Savaş uçağı sayısı sınırlandırılacak.

Irak'ın kuzeyinde kurulan Kürt oluşumu Türkiye tarafından resmen tanınacak. Türk devletinin Kürt devletinin kuruluşunu "savaş nedeni" sayan Milli Güvenlik Siyaset Belgesi ve bu yöndeki politika ve kararlar kaldırılacak.

Af Yasası, PKK yöneticilerini de kapsayacak şekilde genişletilecek. Türkiye dört yıl içinde uygulanacak bir planla, üniter yapısını devrederek federasyon uygulamasına geçecek. "Kamu Reformu" ve "Yerel Yönetimler" yasaları hızla çıkartılarak, Türkiye Kürt nüfusunun yoğun olarak yaşadığı şehir ve kasabaların belediyelerinin özerkleşmesi sürecini kararlı olarak yürütecek.

Yunanistan'la sorunlar çözülecek. Kıbrıs'ta Denktaş devre dışı bırakılacak. Annan Planı kabul edilecek. Ege'de Yunan taleplerine esnek bir tutum takınılacak.

Türkiye'nin Ermenistan ili ilişkileri normalleştirilecek ve iyileştirilecek. Sınır ticaretinde Ermenistan lehine düzenlemeler yapılacak."

Nasıl!.."

Erdoğan, Gül, Barzani ve Büyükanıt

"Genelkurmay Başkanı Orgeneral Yaşar Büyükanıt Paşa, ABD ziyaretinin son gününde ABD ve ortaklarına etkili bir ders veriyordu: PKK'yı destekleyen Barzani ve Talabani'yle neyi görüşeceğim! ABD, Irak hududunu PKK'ya teslim etti!"

Büyükanıt Paşa'nın bu açıklamalarına karşı; Erdoğan ve Gül, Barzani ve Talabani ile görüşülmesinden yanaydı. Hatta Gül, "Biz düşmanımızla bile görüşüyoruz. Barzani ile niye görüşmeyelim" deyiverdi...

Genelkurmay Başkanı Org. Büyükanıt Paşa'nın ABD'de

"PKK'yı açıkça destekliyorlar" dediği peşmerge liderlerinden Mesut Barzani, ''Kuzey Irak'taki bölgesel Kürt hükümeti ile ilişkileri geliştirecek adımlar atılabilir'' şeklinde açıklamalarda bulunan Başbakan Erdoğan'dan memnuniyetini dile getiriyordu. Peşmerge yönetimi Tayyip'in bu tavrını oldukça sıcak karşıladıklarını bildiriyorlardı.

Peşmergelerin sözcüsü Dizayi, gazetecilere yaptığı açıklamada, "Türkiye ile aralarındaki ilişkilerin gelişip ilerlemesini umut ettiklerini" belirterek, "Diyalog ihtiyacının bulunduğunu, her zaman diyaloga hazır olduklarını" söylüyordu.

Ve; Barzani birden coşarak içindekini kusarak: "Bağımsız Kürdistan'ın kurulmasına hazır olun" gibi çok açık ve küstahça bir cevap veriyordu.

Mesut Barzani, Babası Mustafa Barzani gibi Nakşibendi'ydi.

7 Mart 2002 tarihinde; Tayyip Erdoğan, eline her fırsat geçtiğinde Türkiye'ye hakaretler yağdıran, kafa tutan Talabani ile yaptığı görüşme sonrasında şunları söylüyordu:

"21. Yüzyıl diktatörler çağı olmamalıdır. Sağlıklı bir demokrasi, laik bir anlayışı gerçekleştirebilirsek, bu münasebetlerimize katkı sağlar. Halkın katılımcılığını çok anlamlı buluyorum. **Irak'tan ve Kürdistan'dan aldığımız bilgiler bizleri memnun etmiştir..."**

Tayyip'in bu konuşmasını yapması tesadüf değildi. Zira yine aynı gün; Fransa'nın madamı Daniella Mitterant başkanlığında, Heinrich Böll arşivi yöneticisi Viktor Böll ve Türkiye'nin doğusunda 'Kürt Devleti' hayalleri kuran bir kısım bölücü dernek yöneticileri ve Yahudi işadamları 'Kürtçe Eğitim Yapılsın' kampanyaları başlatıyordu.

Bu açıklamanın ve olayların ardından Mesut Barzani Ocak 2003 tarihinde Türkiye'de basımı yapılan "Barzani" adlı paçavrasında babasının Nakşibendiliğini şu sözleri ile anlatıyordu:

"Hiç kuşkusuz, bütün hayatı boyunca ona eşlik eden bu ruhsal gücün önemli bir kısmı, ilahi iradeye ilişkin sarsılmaz imanından kaynaklanıyordu. Aldığı dini eğitimin bir semeresiydi. Çocukluğundan beri telkin edilen Nakşibendi tarikatının adap ve erkanı doğrultusunda yetiştirilmesinin bir sonucuydu..."

Nakşibendi, Gürcü kökenli ve Musa soylu Tayyip ve onun yardımcısı Abdullah için bu sözlerden alınacak bir şey yoktu. Tayyip ve Abdullah; "Barzani ile görüşelim" diyerek, Türk ordusu ile çatışma içine girmeyi göze alıyorlardı. Barzani bu açıklamayı yaparak, Erdoğan ve Gül'ü fiili ve siyasi olarak Türk halkı ile Silahlı Kuvvetler karşısında zor duruma düşürdüğü gibi bir izlenim oluşsa da, Barzani'nin fikir ve eylemlerini çok yakından bilen ikili için bu sürpriz değildi. Barzani yazdığı paçavrasında Sevr antlaşmasına duydukları özlemlerini şöyle dile getiriyordu:

"Birinci Dünya Savaşı'ndan sonra Osmanlı İmparatorluğu'nun yıkılması üzerine, bölgedeki halklar, özgürlük ve bağımsızlık talebinde bulundular. Bölgedeki diğer halklar gibi Kürtler de eksiksiz haklar talebinde bulundu.

1920'de Sevr antlaşması imzalandı. Bu antlaşma Kürtlerin talepleri açısından da cesaret vericiydi. Antlaşmanın üçüncü kısmında Kürtlerle ilgili şu düzenlemelere yer veriliyordu." diyerek Kürdistan hayalleri ile Musul Kerkük'ün kendilerine kalacağı şeklindeki şartları uzun uzun anlatıyordu. Mesut Barzani Lozan antlaşmasını ise; "Uğursuz" sayarak şu hezeyanlarda bulunuyordu:

"İtilaf güçleri 1923 tarihinde Lozan antlaşmasını imzalayarak Sevr antlaşmasını geçersiz kıldılar. Böylece Kemalistler Kürt meselesi konusunda eskisinden daha güçlü konuma geldiler. Bu uğursuz antlaşma ile birlikte, Kürtlere verilen tüm sözler unutuldu; vaatler yerine getirilmedi; dolayısıyla Kürtlerin tüm beklentileri boşa çıktı..."

Nakşibendi ikilinin Nakşibendi Barzani ile görüşme istekleri sonucunda, her ne kadar bazı çevrelerde Barzani'nin "Kürdistan" açıklaması Erdoğan ve Gül'ün siyasi basiretsizliğinin ürünü olarak yorumlansa da; Erdoğan ve Gül'ün "Cihad" çağrıları içinde yetiştikleri camianın kendilerine verdikleri eğitimin sonucunda vardıkları ortak noktaydı. Mesut Barzani, babasını anlatırken, "Cihad" hakkında şunları söylüyordu:

"Şeyh Ahmet onu himayesine almış, eğitimiyle ilgilenmişti. Tarikatın zorunlu kıldığı ilkeleri ona aşılamıştı. Ondan, Şeyh Abdüsselam'dan ve dayısı Ahmet Birsiyavi'den Nakşibendi Tarikatı'nın belirgin özelliği olan "Cihad" terimini derinliğine kavramıştı..."

Barzani, Şemdinli ilçesi için şu açıklamayı yapıyordu:

"Türkiye Kürdistan'ında Hakkari vilayetine bağlı Kürt ilçesi. Güvenlik güçleri ile çatışmaya girip gebertilen PKK'lılar için ise "Şehit" tanımlamasında bulunuyordu.

Barzani, paçavrasının arka kapağında babasının hezeyanlarını şöyle sayıklıyordu:

"Allah şahittir; savaşı sevmiyorum. Çünkü savaş, bir sorunu halletmenin en kötü yoludur. Ancak Baas partisi bize başka bir yol bırakmadı. Onların bize getirdiği önerinin onların lehine Kerkük'ten ve başka bölgelerden ödün vermemizden başka bir anlamı yoktur. Bu ise imkansızdır. Bu uğurda herşeye hazırız, hepimizin öldürülmesine karar verilse de... Çünkü ben, Kürtlerin kabrime gelip tükürerek, 'Niçin Kerkük'ü sattın?' demelerinden korkuyorum."

Yaşadığımız gelişmelerin ışığında belki kimse Barzani'nin kabrine gidip tükürmeyecektir, ama bu ülkede birilerinin yüzlerine tükürerek onları boğacak milyonlar çıkacaktır.

Gül'ün Namus Sözü

Abdullah Gül'ün başbakan olmasının ardından çok geçmeden Dr. Necip Hablemitoğlu alçakça bir saldırı sonucunda şehit ediliyordu. İçişleri Bakanı "Olayı çözmek için özel ekip oluşturduk" derken, Başbakan Gül "Bu cinayeti çözmek namus borcumuzdur" diyordu.

Başbakan Gül, verdiği namus sözüne rağmen cinayeti çözmek yerine kapalı kapılar ardında değişik senaryolar peşinde koşuyordu. Makamına çağırdığı Hablemitoğlu'nun eşinin karşısına kapalı kapılar ardından Ankara Emniyet Müdürü'nü çıkarıyor, "Görüşmeleri avukatınıza bildirmeyin" diyordu.

Cumhurbaşkanlığı seçimleri yaklaşırken Tayyip Erdoğan, "Bu ülke Hablemitoğlu cinayetinin örtbas etmiş bir ülkedir" şeklinde hayret verici bir konuşma yapıyordu. Cinayet kendi hükümetleri zamanında işlenmiş, soruşturmayı yada daha açık bir deyişle soruşturarak soruşturmamayı kendi hükümetleri yapmıştı. Şimdi böyle bir açıklamayı yine kendi yapıyordu, aynen kamera şakası gibi...

Tayyip Erdoğan daha sonra bir adım daha ileri gidiyor, "faili meçhullerin hepsini çözdük, bir Hablemitoğlu kaldı. Onun da durumu özel" diyor, yine insanları şaşkınlığa uğratıyordu.

Namus borcu neden ödenmemişti. Hablemitoğlu cinayeti niye örtülmüştü. Cinayetin "Özel" olmasının nedeni neydi? Belki Abdullah Gül, zamanla bunları açıklar...

Abdullah Bey Konuşuyor

8-9 Aralık 2006 tarihinde Hürriyet Gazetesi'nden değerli gazeteci ve yazar Emin Çölaşan "Abdullah Bey Konuşuyor" başlıklı yazısında Abdullah Gül'ün baş döndüren değişimini kaleme alıyordu:

"... Sevgili okuyucularım, şimdi birkaç dakika için her şeyi unutup 11 yıl geriye gidin ve 28-30 Aralık 2004 günlerinde burada çıkan üç yazımı şimdi yeniden okuyun.

TBMM Genel Kurul salonundayız. Günlerden 8 Mart 1995. Kürsüde bir konuşmacı var. Refah Partisi Kayseri Milletvekili Abdullah Gül.

Türkiye birkaç gün önce AB ile Gümrük Birliği anlaşmasını imzalamış. Meclis"te AB tartışılıyor. Abdullah Bey bu konu üzerinde Refah Partisi, Necmettin Erbakan ve kendisinin değerli görüşlerini dile getirmeye başlıyor.

Bunları size 8 Mart 1995 tarihli Meclis tutanaklarından, yani kendisinin sözlerinden aynen veriyorum. Bakalım okuyunca tepkiniz ne olacak! Gülecek misiniz, şaşıracak mısınız, ne yapacaksınız!

"RP Grubu adına Abdullah Gül (Kayseri): Sayın Başkan, değerli arkadaşlarım, Refah Partisi adına görüşlerimizi bildirmek için huzurlarınızdayım. Hepinizi saygıyla selamlıyorum.

Türkiye'nin Avrupa Birliği ile Gümrük Birliği çerçeve anlaşması bildiğiniz gibi 6 Mart'ta imzalanmıştır. Cumhuriyet tarihinin en önemli dış anlaşmalarından biridir. Böyle önemli bir anlaşmanın bu şekilde imzalanmasına biz Refah Partisi olarak metot, usul ve esas yönünden karşı olan tek grubuz, tek partiyiz.

Şurada (kürsüyü göstererek) "Egemenlik Kayıtsız Şartsız Milletindir" yazıyor. Bunun anlamı nedir? Bu kadar önemli bir karar alınırken milletin bu konuda bilgisi olması ve bunu bilmesi gerekir. Şimdi soruyorum:

Türkiye Gümrük Birliği'ne girdi. Daha doğrusu girmedi, bunun ilk anlaşmasını yaptı. Şimdi Türk halkı bu Gümrük Birliği nedir, hükümet halka bilgi vermiş midir, parlamentoya bilgi vermiş midir? Bu demokratik bir anlayış mıdır? Halka güvenen bir anlayış mıdır?

Şimdi sormak istiyorum. Niçin Türk halkına, bu millete sorma ihtiyacını duymadınız? Bu demokratik bir olay mıdır? Diyorsunuz ki "Bu olay sadece Avrupa ile dar bir gümrük birliği anlaşması değildir, siyasi ve kültürel mahiyeti olan bir anlaşmadır. Peki bu kadar geniş bir karar alınırken bu halka gidip de sen ne düşünüyorsun diye hiç sormak akıldan geçmemiş midir?"

Şevket Kazan (Kocaeli Refah): Halkı saymıyorlar ki.

Şimdi ben burada günümüzün Dışişleri Bakanı Abdullah Gül'e aynı soruları sormak istiyorum: Siz bu AB olayına balıklama dalarken, onların kapılarında dolanıp yalvarırken, müzakere tarihi alabilmek uğruna bir sürü ödün verirken, ülkemizi küçük düşürürken, acaba bunları Türk milletine hiç sordunuz mu? Hayır!

Gül konuşmasını sürdürüyor: "Bu tavır bizim için bilinen bir tavırdır. Bu tavır aslında TEK PARTİ DEVRİNİN tavrıdır. Tek parti devrinde de birçok önemli kararlar alınırken halka hiç sorulmamıştır. Halka güvenilmediği için hálá o ideoloji, o anlayış devam etmektedir."

Demek ki şimdi kendilerinin AKP iktidarı döneminde de aynı "tek parti anlayışı" devam ettiriliyor. Ama bu kez kendileri tarafından! Tüh tüh, vallahi çok ayıp!

Abdullah Gül konuşmasını sürdürüyor. Sözlerine lütfen çok dikkat ediniz. Meclis tutanaklarından aynen veriyorum:

"Aslında moral açıdan da, demokratik anlayış açısından da hükümet böyle bir konuya imza atamaz. Halka sormadan bu işi yapamaz. (RP sıralarından alkışlar.) Aslında Avrupa Gümrük Birliği'ne Türkiye'nin gayretleriyle girilmedi. Bunu burada açıklıyorum. Bu tamamen ideolojik, tamamen siyasi bir olaydır."

Ve hemen ardından, büyük bombayı şu sözleriyle patlatıyor:

"TÜRKİYE"NİN AVRUPA BİRLİĞİ'NE GİREMEYECEĞİ KESİNDİR. BUNU AVRUPALILAR SÖYLEMEKTEDİR. AVRUPA"NIN ÖNDE GELEN BÜTÜN POLİTİKACILARI SÖYLEMEKTEDİR. ÇÜNKÜ AVRUPA BİRLİĞİ, BİR HIRİSTİYAN BİRLİĞİDİR. BUNU BİZ SÖYLEMİYORUZ. AVRUPA'DA HERKES SÖYLÜYOR, HERKES BİLİYOR."

Bu sözleri o gün Necmettin Erbakan'ın direktifleri ve Refah Partisi milletvekili kimliği ile Meclis kürsüsünden söyleyen Abdullah Gül'e şimdi sormak gerekiyor:

"Ne oldu beyefendi, bu 180 derecelik dönüşü şimdi nasıl yaptınız? Geçmişte söylediğiniz bu sözler neydi? Aynı sözlerin arkasında şimdi de duruyor musunuz, yoksa dün dündür, bugün bugündür vaziyeti mi oluştu?

Ya da peşinde koştuğunuz Avrupa Birliği dinini bırakıp Hıristiyan olmaktan vaz mı geçti?

Sevgili okuyucularım, benim yazı yeri bitti ama Abdullah Bey'in "incileri" bitmedi!

Yarınki yazımda yenileriyle buluşacağız! AKP'li bir siyaset kadrosunun böyle kısa bir süre içerisinde nereden nereye geldiğini yine Bay Gül'ün kendi sözleriyle, bir ibret belgesi olarak okuyacaksınız.

Abdullah Bey Konuşuyor! (2)

SEVGİLİ okuyucularım, dünkü yazımda size Refah Partisi Kayseri Milletvekili Abdullah Gül'ün 8 Mart 1995 tarihli Meclis konuşmasını tutanaklardan vermiştim. "AB bir Hıristiyan kulübüdür, bizi hiçbir zaman almayacaklar" diyordu!

(Dünkü yazımı okuma fırsatınız olmadıysa, önce onu okumanızı öneririm.) AB konusunda aynı konuşmasını Meclis tutanaklarından -özetle- okumaya devam edelim ve göstermiş olduğu muhteşem "değişimi" izlemeyi sürdürelim:

"Abdullah Gül: Şimdi ben soruyorum. 1963 Ankara anlaşmasına göre 1986 yılından itibaren Türk vatandaşları Avrupa'da serbestçe dolaşamayacak mıydı? Bu hakkı niçin almadınız? Yaptığınız anlaşmalar bu hakkı verdiyse niçin onlar direniyor, 'hayır, benim çıkarıma değildir' diyor?"

Şimdi ben kendisine aynı soruyu sorayım: Bu konuda getirilen sürekli kısıtlamayı Brüksel'de siz nasıl kabul ettiniz? Bu hakkı siz niçin almadınız? Konuşmasını sürdürüyor, adeta 10 yıl sonra kendi dönemini anlatıyor:

"Burada her şey tek taraflı olarak gitmektedir. Avrupa'nın çıkarları söz konusu olduğunda tavizler verilmektedir, vazgeçilmektedir. Fakat Türkiye'nin çıkarları söz konusu olduğunda hiçbir direniş, hiçbir ısrar olmamaktadır. Bu şudur: Ne pahasına olursa olsun Türkiye, Avrupa Birliği'ne girecek anlayışıdır. Siz eğer bu zihniyette olursanız, işte o zaman sizi o zenginler köşkünün bahçesindeki bir KULÜBEYE böyle koyarlar işte."

(Ahhh, atalarımız ne güzel söylemiş "Büyük lokma ye, büyük konuşma" diye! O kulübeye kendileri girdiler...) Ve Abdullah Bey, sözlerini Meclis kürsüsünden sürdürüyor:

"Avrupa Birliği'ne Türkiye'nin alınmayacağı kesin olunca, Türkiye'nin de kendi başına bırakılması Avrupa'nın çıkarına değildir. Çünkü Türkiye'nin önünde büyük bir potansiyel vardır. İşte, Türk Cumhuriyetleri çıkmıştır, İslam ülkeleri vardır. Avrupalı bunu bildiği için Türkiye'yi serbest bırakmak istememiştir. Anlaşmaların hepsi kâğıt üzerindedir.

TÜRKİYE'NİN AVRUPA BİRLİĞİ'NE GİRİP DE O BAHSETTİĞİNİZ AVANTAJLARDAN FAYDALANMASI HİKÂYEDİR. BÖYLE BİR ŞEY SÖZ KONUSU DA DEĞİLDİR, OLMAYACAKTIR."

İşte size "uzak görüşlü!" ve "gerçekçi!" bir "devlet adamının!" sözleri! Tutanaklara devam ediyorum:

"Halka sormaktan korkulmuştur. (Refah Partisi sıralarından bravo sesleri, alkışlar.) Demokratikseniz, Avrupa ülkelerinde olduğu gibi bunun için halkın oyuna başvururdunuz. Gidip halka sorardınız."

Aynen kendilerinin yapmış olduğu gibi! Bu konularda halkın oyuna başvurdular ya! Kapı gibi tutanakları okumayı sürdürelim:

"Medyaya bakarsanız (AB işi bittiğinde) Türkiye'ye zenginlik gelecek, mallar girecek, bir pembe tablo!.. Tabii ki en çok çıkarı olan grup medya olacaktır. (Refah sıralarından alkışlar.) Çünkü önümüzdeki yıllarda Türkiye'de en gözde (olacak) olan sektör reklam sektörüdür. Türkiye bir tüketim ekonomisine yönelecektir. Tabii ki medya, tabii ki gazeteler ve televizyon kanalları bunu alkışlayacak, halkın beynini yıkayacak. Ama ne olacak, siz bunları borçla alacaksınız. TÜRKİYE'Yİ BU NOKTAYA GETİRENLER SUÇLUDUR.

Şimdi neyin savunmasını yapıyorsunuz Allahaşkına? Televizyon programlarındaki müzakerelere (tartışmalara) bakıyorsunuz, oralara çıkarılan herkes resmi yayın organı gibi, herkes pembe bir tablo çiziyor. Niçin bir tane de ilim adamlarından, politikacılardan, bunun farklı yönünü söyleyen çıkmıyor, konuşturulmuyor? (AB gerçekleri) Halktan gizleniyor çünkü. Türkiye'de ÇIKARCILAR bunun peşindedir.

(AB'nin peşine takılarak) Türkiye'yi daha da fakirleştireceksiniz. Bu, uzun vadede görülecektir."

Abdullah Bey'in o günlerde anlattığı, günümüzde ise 180 derece dönüşle sahip çıktığı bu yanlış gidişi size Meclis tutanaklarından ve kendi ağzından aktarıyorum.

Dün Refah Partisi milletvekili olarak "kara" dediğine bugün Dışişleri Bakanı olarak "ak" diyor. Dün tu kaka ilan ettiği AB kapılarında bugün direktif alıyor. Hem de koşullar çok daha fazla ağırlaştığı halde.

Yazık, ayıp yahu!

Oynanan şu komediye, sergilenen şu rezalete bakınız. Durumu kurtarmak için son dakikada Finlandiya'ya "Acil plan" sundular! Türk milletinden gizlenen Kıbrıs planı, Finlandiya tarafından açıklandı. Yaptıklarından Cumhurbaşkanı, Bakanlar Kurulu ve Genelkurmay'ın bile haberi yoktu. Genelkurmay

Başkanı Büyükanıt Paşa'nın dünkü Hürriyet'te yer alan sözleri, hükümet açısından bir utanç anıtıdır.

Efendim benim yazı yeri bitti ama Abdullah Bey'in sözleri bitmedi. Ağzından o zaman dökülen incilerin ve bugün oynadıkları komedinin devamı -yine Meclis tutanaklarından- yarınki yazımda sona erecek!

İnsanoğlu değişir de, **"değişmenin" bu kadarı dünyada görülmüş, duyulmuş şey değil..."**

RP'ye ilginç Katılımlar

Bu dönemlerde Refah Partisi'nde oldukça ilginç gelişmeler yaşanıyor, ABD ve Yahudi kuruluşlarına yakın isimler yavaş yavaş Refah çatısı altında toplanıyordu. Partinin önde gelen isimlerinin katılımcıların bu özelliklerini bilmelerine rağmen ses çıkartmayıp bir de herkesten fazla bu katılımları onaylamaları oldukça düşündürücü ve dikkat çekiciydi. Bu durum Nasuhi Güngör tarafından kaleme alınan "Yenilikçi Hareket" adlı kitapta da tuhaf karşılanıyordu:

"...Örneğin TOBB Başkanlığı'da yapan Ali Coşkun, Mesut Yılmaz'ın ANAP'ı içinde muhafazakar kanadın önemli isimleri arasında sayılırken zaman içinde partiyle bağları zayıflamaya başlamıştı. Merkez sağı toparlama adına yapılan her projede adı geçen Ali Coşkun, ABD ile oldukça önemli ilişkilerde imzası olan bir isimdi. TOBB Başkanı iken ABD'nin Gladio'sunun bir parçası kabul edilen AID açık adıyla Uluslar arası Kalkındırma Örgütü adlı kuruluşla bir işbirliği anlaşması imzalamış ve "Bu uzman kuruluşun bilgi ve birikimlerinden yararlanacağız" demişti.

Ali Coşkun'un attığı imza, dönemin ABD Büyükelçisi tarafından parafe edilmişti. Büyükelçi, Morton Abromowitz'ten başkası değildi. Aynı zamanda CIA'nın Ortadoğu Masası Şefi de olan Abromowitz Ali Coşkun'la yakın temasta bulunarak bu anlaşmanın öncülüğünü yapmıştı.

Bu transferlerden belki de en dikkat çekici olanlardan birisi gazeteci Nazlı Ilıcak'ın RP'ye katılması oldu.

Ilıcak, Akşam Gazetesi'ndeki sözde "Demokrat" ve özellikle de "RP'nin yükselişini haber veren" yazılarıyla dikkat çekerken, sık sık RP üst yönetimi ile de bir araya geliyordu. Zamanla bu yakınlaşma, Ilıcak'ın RP'ye katılması ve İstanbul'dan milletvekili adayı olmasıyla sonuçlanmıştı.

Nazlı Ilıcak, uzunca bir süre parti içindeki ayrışmada Erbakan'ın yanında durmaya özen gösterdi. Ancak Tayyip Erdoğan'ın siyasi yasaklı hale gelmesiyle başlayan süreçte, yavaş yavaş "yenilikçi"lerden yana ağırlığını koymaya başladı. Gerçi bugüne kadar Erbakan'ı yanlış yönlendirmişti. Nihayetinde bu ekipten yana tavrını açıkça ilan etti.

Bir zamanlar Demirel'in en ateşli destekçilerinden olan Nazlı Ilıcak'la ilgili belki en tuhaf konu Milli Görüş hareketinin çok önemsediği bir özelliğinin hiç gündeme gelmemesiydi. Sabatay Sevi'ye bağlı, "Yahudi Dönmeler" konusunda hayli hassas olan hareket, nedense Nazlı Ilıcak'ın da anne tarafından önemli bir sabataist kol olan "Kapaniler"den geldiği iddialarını dikkate almamıştı. Oysa bu iddialar, hareketin yakından tanıdığı ve elinde bulundurduğu Yesevizade'nin "Yahudilik ve Dönmeler" adlı kitabında ayrıntılı olarak ele alınmaktaydı...

Nazlı Ilıcak'ın babası Muammer Çavuşoğlu, Yunan Bayrağını selamlamakla ünlenmiş bir Mason'du.

Bu katılımların ardından partiye "Milli Mücadele Grubundan Rotaryen ve Mason Dünürü olan Cemil Çiçek ve Melih Gökçek de giriyordu.

Gökçek Ankara DGM tarafından 90'lı yılların sonunda gözaltına alındığında DGM savcısını ilk arayıp ona güvenlerini bildiren ve serbest bırakılmasını isteyen İsrail Büyükelçiliği olmuş, İsrail Büyükelçiliğini Demirel izlemişti.

Gökçek 2001 Mayıs ayını ABD'de geçiriyor. Buradaki en önemli görüşme yerleri Yahudi kuruluşları oluyordu. Gökçek, ABD'de Washington Enstitüsü Başkanı Alan Makowsky ile görüşüyor, onun sınavlarından geçmeye çalışıyordu.

Gökçek, ABD'ye uçmadan önce ABD'nin Ankara Büyükelçisi Robert Pearson'la da bir çok görüşmelerde bulunmuştu.

Refah Partisi'nin kapısını çalan bir diğer isim ise Ermeni soyundan gelen kronik İçişleri Bakanı ve hemen hemen bütün değerli vatan evlatlarının onun döneminde katledildiği Abdulkadir Aksu'ydu.

Herkes etrafımda toplanırdı

Şahsını övme kitabında Gül; tüm ülkelerin diplomatları ve elemanlarının kendi etrafında toplandığını anlatıyor, verdikleri resepsiyonlara da sadece kendinin gittiğini söylüyordu:

"Ankara'da her ülkenin milli günleri olur ve bu günlerde resepsiyon verirler. O resepsiyonlara hiç kimse gitmezdi. Partiden sadece ben giderdim. Gittiğimde de sanki toplantının en önemli adamı gelmiş gibi alaka görürdüm. Bu durum benim şahsımdan dolayı değildi tabi; herkes refahlı birini tanımak istiyordu. Belki eğitimimin, yurt dışında bulunuşumun, İslam Kalkınma Bankası'nda çalışışımın, çeşitli insanlarla beraber oluşumun etkisi de vardı. Hepsi benim etrafımda toplanırdı..."

Yine bu resepsiyonların birinde ABD Büyükelçisi ile kuytu bir köşede görüşen Gül'e, Büyükelçi D-8 Projesi ile ilgili olarak, "Sahi gerçekten inanıyor musunuz böyle bir projenin gerçekleşeceğine?" diye sorar.

Gül'ün verdiği cevap, büyükelçiyi bile şoke eder; "Aslında inanın böyle bir projenin gerçekleşme şansı üzerinde durmaya değecek kadar bile yok. Ama ne yapalım işte Erbakan Hoca'nın böyle bir hayal dünyası var!"

Abdullah Gül yıllarca savunduğu D-8 projesinden utandığını açıklamasının yanında "Adil Düzen"den de rahatsızlık duyduğunu şu sözleri ile dile getiriyordu:

"..Ben bazı önemli heyetleri Erbakan Hoca'ya götürürdüm, o da kabul ederdi. Bu kabullerde ben de bulunurdum. Erbakan Hoca tecrübeye binaen çok daha iyi ve gerçekçi takdimler yapabilirdi. Hükümetlerde bulunmuş, başbakan yardımcılığı görevini yapmış, MGK toplantılarına katılmış bir insan, Türkiye'nin ve dünyanın gerçeklerini bilerek değerlendirmelerde bulunabilirdi.. Ama Hoca o kabullerde "Adil Düzen" söylemini çok katı bir format içersinde ifade ederdi. Doğrusu bu ifadeye hayret ederdim. Çünkü realiteden uzak bir üslup kullanırdı zaman zaman. "Aman Hocam böyle yapmasanız!" derdik, ama Hoca bu üslubunu devam ettirirdi.

Ben bu konuşmaların batı dünyası üzerinde çok olumsuz etki yaptığı kanaatindeyim. Özellikle Avrupa'nın Refah Partisi'ne sahip çıkmamasının altında, o zamanki konuşmaların etkili olduğu kanaatindeyim. Tabi samimiyet içinde anlatıyordu Hoca, ama onların mantalitesine uygun bir şekilde değildi bu anlatım. Bir Türk'e anlatır gibi anlatıyordu. Avrupa ve Amerika'da insan haklarının olmadığını, Adil Düzen'in onları da kurtaracağını...

Bunlar bir filozofun konuşma tarzı olabilirdi; ama ben, bu konuşmaların bir siyasetçinin konuşma tarzına uygun düşmediği kanaatindeyim..."

Gül, "Adil Düzen" söylemlerinden duyduğu azabı dile getirmeye şöyle devam ediyordu:

"Realiteden çok uzak söylemlerimiz vardı. Kapalı toplantılarda bu çok daha ileri boyutlara gidiyordu. Bunlara gerek yoktu doğrusu. 'Adil Düzen', çok güzel bir slogandı, 'Kızıl Elma'ydı adeta...

Ama bir gün iktidara geldiğinizde, uygulayacağınız bir

proje değildi hiçbir zaman. Onun için iktidar olduğumuzda o, hiç dile gelmedi..."

Çocukların Kazaları

28 Aralık 2005 tarihli gazetelerde Abdullah Gül'ün oğlu Ahmet Münir Gül'ün adı kazaya karışıyor, kaza sonucu bir kişi hayatını kaybediyor, bir kişi ise yaralanıyordu. Bu olaydan önce Tayyip Erdoğan'ın oğlu Sanatçı Sevim Tanürek'e çarparak onun ölümüne sebep oluyordu. Maliye Bakanı Kemal Unakıtan'ın oğlu Abdullah Unakıtan 34 DM 8144 plakalı Range Rover cipiyle başka bir araca çarpıyor bu kazada dört kişi ölüyor, iki kişi ise yaralanıyordu. Şimdi basında yer alan bilgilere göre Ahmet Münir Gül'ün karıştığı kazayı izleyelim:

"Çaldıkları otomobille polisten kaçan iki hırsızlık zanlısı, girdikleri ters yolda Dışişleri Bakanı Abdullah Gül'ün oğlu Ahmet Münir Gül'ün kullandığı otoya çarptı. Ankara'da saat 02.30'da meydana gelen kazada bir zanlı hayatını kaybetti. Ders çalışmak için gittiği arkadaşından döndüğünü söyleyen Ahmet Münir Gül ise hafif yaralı kurtuldu.

Ankara'da çaldıkları otomobille polisten kaçan 2 hırsızlık zanlısı, ters yola girince Başbakan Yardımcısı ve Dışişleri Bakanı Abdullah Gül'ün oğlu **Ahmet Münir Gül**'ün kullandığı otomobile çarptı. **Ahmet Münir Gül**, hurdaya dönen otomobilinden hava yastığının açılması sayesinde hafif yaralı kurtuldu, kaldırıldığı Bayındır Hastanesi'ndeki tedavinin ardından taburcu edildi. Kaza, saat 02.30 sıralarında meydana geldi. Çaldıkları 06 FCE 71 plakalı Hyundai marka beyaz otomobille, önünde durdukları bir işyerine girmek isteyen 2 hırsızlık zanlısı, polis ekibini fark edince kaçmaya başladı.

Atatürk Bulvarı'na ters yönden girip izlerini kaybettiren hırsızlık zanlıları, Genelkurmay Kavşağı'ndan da dönüş yapıp ters şeritten Eskişehir Yolu'na kadar devam etti. Yaklaşık 10 kilometre aşırı hızla ters yönden giden hırsızlık zanlıları, bu sırada şehir merkezine doğru gelen **Ahmet Münir Gül** 'ün kullandığı 06 AG 594 plakalı Hyundai marka gri renkli otomobille kafa kafaya çarpıştı. Hırsızlık zanlılarından biri koltuklar arasında sıkışıp ağır yaralanırken, otomobili kullanan E.E., yaralı olmasına rağmen yakındaki Sayıştay bahçesine kaçtı. Ağır yaralı zanlı, bir duvarın dibinde yatarken polis ekipleri tarafından fark edildi. Olay yerine gelen sağlık ekipleri, iki zanlıdan birini Gazi Hastanesi'ne diğerini Numune Hastanesi'ne kaldırdı. Gazi Hastanesi'ndeki yaralı yapılan tüm müdahalelere rağmen sabah saatlerinde yaşamını yitirdi. Numune Hastanesi'ndeki E.E. ise tedavisinin ardından Emniyet Müdürlüğü'ne götürüldü. Susma hakkını kullanan E.E.'nin, yine hırsızlık suçundan sabıkalı olduğu kaydedildi.

Ankara Bayındır Hastanesi'ne kaldırılan **Ahmet Münir Gül**'ü, Ankara Valisi Kemal Önal, Emniyet Müdürü Ercüment Yılmaz ve Gül'ün yakınları ziyaret etti. Kaza nedeniyle şoke olan Gül, bir arkadaşının evinde ders çalıştıktan sonra evine döndüğünü belirtti, 'Otomobil ters şeritten hızla üzerime geliyordu' dedi. Gül'e polis tarafından alkol testi de yapıldı, ancak alkole rastlanmadı. Gül, yapılan kontrollerin ardından taburcu edildi.

Dışişleri Bakanı Abdullah Gül'ün oğlu Ahmet Münir'in, önceki gece geçirdiği trafik kazasını, telaşlandırmamak için babası ve annesine sabah haber verdiği öğrenildi. Gül, kazayı, Cumhurbaşkanı Ahmet Necdet Sezer ile birlikte bulunduğu Kahire'de, dün sabah oğlu Ahmet Münir'in telefonundan öğrendi.

Ahmet Münir, önceki gece geçirdiği kazayı dün sabaha kadar babası ve annesine haber vermedi. Kazanın ardından Bayındır Hastanesi'ne giden Ahmet Münir, sabah erken saatlerde Dışişleri Konutu'na geldi. Konutta bir süre dinlenerek, dün sabahki sınavına hazırlanan Ahmet Münir, daha sonra annesi Hayrunnisa Gül'ü uyandırarak geçirdiği kazayı anlattı.

Ahmet Münir, ardından da Kahire'de bulunan babasını telefonla arayıp, 'Babacığım, ben iyiyim, merak etme' diyerek yaşadığı olayı anlattı. Bilkent Üniversitesi'nde Endüstri Mühendisliği öğrencisi Ahmet Münir, dün sabah da okuluna giderek sınavına girdi.

Bilkent Üniversitesi'nde okuyan 20 yaşındaki Ahmet Münir Gül, büyük hasar gören otomobilden, açılan hava yastığı sayesinde hafif yaralı kurtuldu. Gül, telefonla yardım istediği arkadaşlarının olay yerine gelmesiyle TBMM logolu bir otomobile bindirilerek Bayındır Hastanesi'ne kaldırıldı.

Üzerlerinde kimlik çıkmayan zanlılardan biri otomobilde sıkışırken, diğeri ağır yaralı olmasına rağmen kaçtığı Sayıştay bahçesinde aşırı kan kaybetmiş halde bulundu. Ambulansla hastaneye kaldırıldı ama kurtarılamadı..."

Yol ayrımında AKP

FP'nin Anayasa Mahkemesi kararı ile kapatılmasından sonra Gül ve arkadaşları Saadet Partisi'ne katılmadılar. Artık bir yol ayrımına gelinmişti. Sözde yenilikçiler, Erdoğan'ın liderliğinde AKP'yi kurdular. Kurucuların başında Gül geliyordu. Gül kendilerini şöyle tanımlıyordu:

"Kendimizi FP'nin devamı düşünmüyoruz. Popülizmden, abartıdan uzak, gerçekçi olacağız. Tek kişi partisi olmayacağız..."

"Birinci önceliğimiz ekonomi olacak" diyen AKP Siyasi ve Hukuki İşlerden Sorumlu Genel Başkan Yardımcısı Gül, "Bizler bireyler olarak dindar olmanın gayreti içindeyiz. Bunun ötesinde din temsilciliği, din partisi gibi şeyler kesinlikle yanlış. Dinci parti de olmayacağız. Aramızda dindar olmayanlar da yer alabilir. Bizler ancak birey olarak dindar olabiliriz, o kadar" şeklinde konuşuyordu.

Ancak eski RP'li taze AKP'lilerin; Tayyip Erdoğan, Bülent Arınç gibi isimlerin laiklik, demokrasi ve cumhuriyet karşıtı konuşmalarının yayınlanmasının ardından Gül bu konuşmalarını unutuyor ve "Reddi Miras yok" açıklamalarıyla farklı bir tavır sergiliyordu.

AKP, seçimlere girerken karşısında ciddi bir parti olmamasından azami ölçüde yararlandı. Kısa bir sürede büyük bir destekle karşılaştı. 3 Kasım seçimlerinde oyların yüzde 35'ini alarak tek başına iktidara geldi. AKP lideri Erdoğan aldığı ceza nedeniyle YSK kararıyla milletvekili olamamıştı. Bu durumda Anayasa gereği Başbakanlık görevini üstlenemiyordu. Böylece AKP'yi iktidarda temsil etme görevi Gül'e düştü. 1991'de oğlunun sünnet merasimi için Cidde'den Kayseri'ye gelen Gül, yakın dostlarının ısrarıyla girdiği siyaset yaşamını 2002'de emanetçi bir Başbakan olarak sürdürüyordu.

Kocasinan Belediye Başkanı Bekir Yıldız, Abdullah Gül'ün en eski arkadaşlarından. Aynı mahallede büyüyen, aynı ortaokul ve lisede okuyan iki arkadaşın yolu İstanbul'da da çakışıyor. Yıldız, Milli Türk Talebe Birliği (MTTB) Yönetim Kurulu üyeliği ve Spor Kulübü Başkanlığı yaptı. Bekir Yıldız, Abdullah Gül'le ilgili bazı anekdotlar anlattı:

"Çok vefakar bir insan, sözüne sadık, emin bir kişi. Üniversiteyi bitirdikten sonra doktora çalışması için İngiltere'ye gitti. İki yıl kadar kaldı sanırım. Bir mektup yazarak serzenişte bulundum. Birkaç gün sonra çıkıp geldi. Oysa doktora yapmak o yıllarda çok zordu. Lisede iken bizde dünyayı tanıma merakı başladı. Dünyayı tanımanın o dönemdeki en iyi yolu kitaplardı. Beş altı arkadaş dünya klasiklerini paylaştık. Bana Rus, Abdullah Bey'e Fransız klasikleri düştü. Harıl harıl klasik okuduk. Çok uyumlu, kolaylaştırıcı bir insandı. Birlikte sinema ve fotoğrafçılık çalışmaları yaptık. Ulusal sinema açık oturumlarını Abdullah Gül organize etti. Metin Erksan, Yücel Çakmaklı, Halit Refiğ gibi yönetmenler katıldı. Bu oturumlar sadece sinema ile sınırlı değildi. Farklı kesimler arasında açılan bir diyalog kanalıydı. Kemal Tahir, İdris Küçükömer gibi solda yerli duruşu temsil eden aydınlarla ortak bir paydada buluşmanın ilk adımlarıydı. O yıllarda üniversitelerde kanlı çatışmalara varan ülkücü-devrimci kutuplaşması vardı. Bizim pozisyonumuz bu nedenle çok kritikti. Hem bu çatışmalara dahil olmamak hem de iki gruba yanlış yaptıklarını anlatmaya çalışıyorduk.

Gül, o yıllarda radyoya sık sık çıkan halk müziği sanatçısı Muzaffer Sarısözen'i dinlerdi. Birlikte Üsküdar Musiki Cemiyetine ve Milliyetçiler Derneği'ndeki musiki meclislerine dinleyici olarak katılırdık.

Gül, benim deruhte ettiğim spor çalışmalarından da hiç eksik olmazdı. İyi de Beşiktaşlıdır. Çok kararlı, metanetli, olaylara çözücü olarak yaklaşan bir kişiliği vardı. Aramızda bir mesele çıksa, bunu Abdullah Gül çözer derdik. Bugün AK Parti'de olan pek- çok isim 30-35 yıldır tanışıyorlar. Bu nedenle çok iyi bir orkestra olacaklarını, memleket için iyi şeyler yapabileceklerini düşünüyorum..."

Bekir Yıldız'ın açıkladığı gibi 30-35 yıldır birarada olan insanların birlikteliğinde "Yağma-Talan-Soygun ve Vurgun" had safhaya ulaştı. Madenler, limanlar Başbakanın kardeşinin patronu olan Ofer gibi İsrail'li işadamlarına, Telekom Yahudilere, Bankalar Yunanlılara, Aycell İtalyanlara, Telsim gittiği her ülkede üst düzey insanları dinlemekten sabıkalı Vodafon'a satıldı. Satılmayan değerlerimiz kalmadı. Başbakan "ülkeyi pazarlıyoruz" derken, Unakıtan; "babalar gibi satarız" şeklinde konuşuyordu.

Gül'ün arkadaşı Yıldız "Baykal'la iki gün tartıştık" diyerek şunları söylüyordu:

"İstanbul'da MTBB'de birlikte çalıştık. 1974 ya da 1975'di. Aralarında Maliye Bakanı Deniz Baykal'ın olduğu bir grup CHP'li, öğrenci olaylarının nedenlerini araştırmak üzere bizimle de görüşmek istediler. On kişilik bir heyet oluşturduk. Heyetin başında Abdulah Gül vardı. Arkadaşlar olarak konuları paylaştık, iyi bir hazırlık yaptık. CHP heyeti İstanbul'a geldi yuvarlak masa etrafında toplandık. Abdullah Bey işin ekonomik boyutunu anlattı. CHP heyeti çok şaşırdı. 2 saatlik bir görüşme iki güne sarktı..."

WASP'lar

Gül, AKP ile ilgili olarak da; tek kişilik bir parti olmayacaklarını, geçmişteki yanlışlara dönmeyeceklerini belirterek, "Siyasette tebliğde bulunmak değil, hizmet etmek istiyoruz. Bütün Türkiye'nin partisi olmak istiyoruz" diyordu.

Gül, "Biz bu ülkenin WASP'larıyız" diyerek AKP'nin merkez partisi olacağını vurguladı. Açılımı White Anglo Saxon Protestan, yani Beyaz Anglosakson Protestan. WASP'lar, Amerika'da tamamen merkezcil eğilimleri temsil eden, Amerikan çıkarlarını her şeyden üstün tutan, yerleşmiş, meşru, devleti yöneten kadroyu işaret ediyor. İyi eğitimli olan WASP'ların belli başlı nitelikleri modern, Protestan, düzenli olarak kiliseye gidecek kadar dindar olmaları. Tabi ki CIA denetiminde faaliyet göstermeleriydi.

Türkiye Cumhuriyeti'nde faaliyet gösteren bir siyasi parti en yetkili ağızlardan ABD'yi yöneten kadroların bir parçaları olduklarını ilan ediyordu. Abdullah Gül'ün İngiltere'de eğitimden geçerken kilisede kıldığı namazları(!?) bu mantıkla değerlendirmek, Kayseri'de Ermeni papazlarla çektirdiği fotoğrafları bu açıdan izlemek gerekiyordu.

Her nedense aklıma ABD Dışişleri Bakanı Madeleine Albright'in; "Türkiye,Türklere bırakılamayacak kadar değerlidir" sözleri aklıma geliyordu.

Condi

İsrail, İngiltere ve ABD'lilerle çok sıkı ilişkiler içinde olan Abdullah Gül, Rice'ye, "Condi" şeklinde hitap ettiğini söylüyor, Condi'nin de ona "Abduş" demesi gerektiği esprileri yapılıyordu...

Ancak bunca dostlarının ortak çabaları sonucunda Avrupa'nın hemen hemen tamamı "Sözde Ermeni soykırımı"nı tanıyor, Türk insanına vize üzerine vize koyuyor, koydukları vizenin şartlarını ağırlaştırıyorlardı. Ülkemizi Avrupa Birliği'nin kapısından bile baktırmıyorlardı.

Condi'nin yakın dostu Dışişleri Bakanı Abdullah Gül, 9.4.2007 tarihinde ABD Dışişleri Bakanı Condoleezza Rice´ı arayarak, 'Kerkük´e karışırsanız Diyarbakır'a karışırız' diyen Barzani´nin uyarılmasını istedi.

AKP hükümeti her politikasını ABD'ye göre belirliyor. "Türkiye Kerkük'e karışırsa biz de Diyarbakır'a karışırız" diyen peşmerge lider Mesut Barzani için Dışişleri Bakanı Abdullah Gül, ABD Dışişleri Bakanı Condoleezza Rice'ı arayarak

"Bu açıklama bizi çok rahatsız etti. Kendisi bunu tekrarlamama konusunda uyarılmalı" mesajı veriyordu. Ancak Condi, Abduş'a bu konuda yüz vermiyor, Barzani'ye bildiğini yap diyordu.

Öte yandan, BM Güvenlik Konseyi ile G-8'leri de içeren dışişleri bakanları düzeyindeki Irak konferansının İstanbul yerine Mısır'ın Şarm el Şeyh kentine alınmasında da Barzani ve Talabani'nin rol oynadığı belirtildi. Barzani'nin açıklamalarını bu engellemeyle değerlendirdiklerini belirten bazı kaynaklar, Şubat ayında Kaide ile bağlantılı olduğu öne sürülen Sünni grupların İstanbul buluşmasına ABD'nin tepkisinin de kullanıldığını aktardı. Rice ise Gül'e, Irak konusunda uluslararası bir başka toplantının da Türkiye'de olması için çalışacağını aktardı. Tabi ki Gül, her zaman olduğu gibi bu konuda da çok bekleyecekti.

Abdullah Gül'de Türklükten Rahatsız

Tayyip'in danışmanı Mehmet Metiner "Yemyeşil Şeriat" kitabının 481. sayfasında Abdullah Gül'ün "Ne Mutlu Türküm Diyene" sözünden duyduğu rahatsızlığı ve konu ile ilgili bazı açıklamalarına yer veriliyordu:

"...Abdullah Gül: Asıl çözüm İslam kardeşliği

O dönemde İslamcı siyasetçilerimizin, yani RP'de siyaset yapan aktörlerin, şiddet sarmalındaki Kürt sorununa ilişkin neler dediğine bakmakta yarar olduğu kanısındayım. O gün söylenenler ile bugün söylenenler arasındaki farkı görmek açısından çok gerekli ayrıca.

Osman Tunç'un yönettiği, DYP'den Baki Tuğ, DEP'ten Remzi Kartal ve RP'den Abdullah Gül'ün katıldığı "Kürt sorununda şiddet-siyaset çekişmesi" başlıklı açıkoturumda Gül'ün söyledikleri o günkü anlayışına uygun "dini bir söyleme" yaslanıyordu bütün bütüne.

Bugün Başbakan Yardımcısı ve Dışişleri Bakanı olan Abdullah Gül, o tarihte RP Genel Başkan Yardımcısı ve Kayseri Milletvekili sıfatıyla bakınız neler diyordu:

"Şimdi ben bu meseleye farklı yaklaşmak istiyorum. Bunlar benim şahsi görüşlerimdir. Bir ırk asabiyeti içerisinde değil. Çünkü ben Kayseri'de, Remzi Bey Van'da doğarken iradelerimiz dışında olan şeylerdir. Dolayısıyla meseleye biraz daha inanç birliği açısından değinmek istiyorum.(...)

"Ne Trablusgarp'ta savaşırken, ne Medine'yi müdafaa ederken, ne de Çanakkale'de çarpışırken sen Kürt müsün, Çerkez misin, Türk müsün diye kimse sormuyordu. Bunu sormayı inancına, ahlakına yakıştıramazdı. İslam ahlakından gelen böyle bir kaygı yoktu. Böyle bir birlik, böyle bir yapı içerisinden geldik.(...)

Fakat Osmanlı'dan sonra, yeni **Türkiye Cumhuriyeti'nde özellikle tek parti diktatoryası öyle yanlış politikalar izlemiştir ki, burada Kürt orijinli olan arkadaşlarımızı, vatandaşlarımızı değil Türk olanları da mahvetmiştir.** Mesela bir Atıf Hoca Kürt değildi ki! Dolayısıyla devletin bu yanlış politikası, Kürt-Türk'ten çok Türkiye'ye giydirilmek istenen bir elbise olmuştur ki, bu milletin örfüne, âdetine, geçmişine zıt olan bir yapıdır. Gösterebilir misin, resmi ideolojiyle bütünleşmiş olan Kürt vatandaşlarımızın hor görüldüğünü? Ama çok Türk gösterebilirim ki ezilmiştir. Dolayısıyla şunu demek istiyorum. Meselenin ortaya çıkması ırki bir asabiyetten olmamıştır. Ama bu 70 senelik uygulamalar Türkiye'yi şimdiki duruma getirmiştir.(...)

70 yılın çok büyük yanlışları olmuştur. Çukurca'da dağa "Ne mutlu Türküm diye" yazmışsınız. Hala Diyarbakır'ın ortasında bu tür sloganlar yazılıdır. Maalesef resmi ideoloji, Türk milliyetçiliği şeklinde kendisini, ırki taassup olarak tezahür ettirmiştir.(...)

Serbest ortamlarda, üniversitelerde, devlet dairelerinde Kürt-Türk ayrımı yapılmamıştır. Ayrımlar bıyığa, pantolon, fiziki özelliklere bakılarak yapılmamıştır. Türkiye'de esas, baskın olan ayrım, inanç birliğinden gelmiştir. Hangi bölgeden değil de, ailesi dindar mı değil mi diye ayrım yapılmıştır. Terör olaylarından dolayı bu anlattıklarımıza Kürt-Türk ayrımı başlamışsa kötü şey tabii ki budur. Yaşar Kemal Kürt'tür. Baş tacı edilmiştir.(...)

Esas ortaya çıkan ayrımcılık, Türkiye'de hep inançtan gelmiştir. Eğer Kürt ve Türk dindar olmuşsa mahvolmuştur. Ama diyelim ki Kürt laik, dindar değil, sosyete bir havada ise kabul edilmiştir. İnsanlara Allah'ın bahşettiği tabii hakları engellemek doğru olmaz. Bir insan kendi anadilini konuşmalı, bununla varsa eğitim görmelidir. Bu ülkede insanlar çeşitli ırklara mensup olabilirler. Ama bunları birbirine bağlayan ortak noktayı bulmak gerekirse işte bu İslam kardeşliğidir. Asıl çözümü bence burada aramamız gerekir..."

İnkár size yakışır mı Abdullah Bey!

Hürriyet Gazetesinden değerli gazeteci ve yazar Emin Çölaşan 3 Mayıs 2007 tarihinde "İnkar size yakışır mı Abdullah Bey!" başlıklı yazısında 1 Mayıs 2007 tarihinde TRT 1 ekranında ulusal gazetelerin yazarlarıyla yaptığı toplantıda "Musa'nın Çocukları" isimli kitabımdan Abdullah Gül'ün "Ne Mutlu Türk'üm Diyene" sözlerinden duyduğu rahatsızığı belirten Milliyet Gazetesi yazarı Fikret Bila'nın sorusuna "o kitaptakiler yanlış öyle birşey söylemedim" diye kitapta yer alan o bölümleri inkar etmişti. Bu olay Emin Çölaşan'ın yazısında aşağıdaki şekilde geçmiştir.

CUMHURBAŞKANI adayımız (!) ABDullah Bey, önceki gece TRT'de bazı gazetecilerin sorularını kendince yanıtladı. Bu arada Fikret Bila kendisine benim salı günkü yazımdan da söz ederek bir soru sordu.

Atatürk'ün "Ne Mutlu Türk'üm Diyene" sözü için geçmişte ipe sapa gelmez şeyler söylemişti. Bunu 1 Mayıs günkü yazımda burada "Varan 2. Hayır, Bu Zat Cumhurbaşkanı Olamaz" başlığı ile yazmıştım. (Nitekim olamayacak.) Fikret Bila o sözlerini açıklamasını istedi.

Beyefendi sıkışmıştı. Önce şunu söyledi: "Ben Emin Çölaşan'ın yazılarını hiç okumam." Okur veya okumaz, beni ilgilendirmez. Benim yazılarımı her gün ortalama 2.5 milyon kişi okuyor. Bana yeter.

Peki ne demişti bir seminerde Bay Gül? "Ne mutlu Türk'üm diyene lafını tutup her yere yaza yaza, Türkiye aslında İLKEL bir hale dönmüştür."

Bila orada Ergün Poyraz'ın satış rekorları kıran son kitabından da bir örnek verdi. Bay Gül şöyle diyordu:

"Çukurca'da dağa 'Ne Mutlu Türk'üm Diyene diye yazmışsınız. Maalesef resmi ideoloji, Türk milliyetçiliği şeklinde kendisini ırki taassup (ırkçı yobazlık) olarak tezahür ettirmiştir."

Bay Gül televizyon ekranında zor durumda kalmıştı. Bu sözlerini hemen inkár etti, beni "yalancılıkla" suçlamaya kalkıştı ve böyle bir toplantıya katılmadığını söyledi!

* * *

Bakınız, benim verdiğim örnek "Türkiye'nin Milli Bütünlüğü ve Güvenliği" isimli kitaptadır. (İş Dünyası Vakfı Yayını.) Seminere katılanlar Tunç Bilget, Kamran İnan, Muzaffer Özdağ, Abdullah Gül ve Abdülhaluk Çay.

Ergün Poyraz da kitabında Gül'ün sözlerini hangi kitaptan aldığını bildiriyor:

Tayyip Erdoğan'ın danışmanı Mehmet Metiner'in "Yemyeşil Şeriat, Bembeyaz Demokrasi" isimli kitabı. Gül, şimdi inkára yeltendiği o sözlerini Osman Tunç'un yönettiği, DYP'den Baki Tuğ, DEP'ten Remzi Kartal ve kendisinin katıldığı toplantıda söylüyor. Her iki panel-seminer-toplantıda söylenenler banda alınıyor ve kitap yapılıyor.

Ancak TRT ekranında sıkışan Gül, "Ben o kişilerle öyle bir toplantıya katılmadım" demek zorunda kalıyor. Ne acı değil mi!

Bay Gül'ün yalanladığı olayı dün Baki Tuğ'a sordum.

Yanıtı şöyleydi:

"O toplantı Ankara'da Necatibey Caddesi'nde bir yerde, sözü edilen kişilerin katılımıyla aynen yapılmıştır. Yazılanlar doğrudur."

Bir devlet adamı (!) ve cumhurbaşkanlığı adayı (!) düşünün ki, Atatürk'ün "Ne Mutlu Türk'üm Diyene" özdeyişiyle alay ediyor, aşağılıyor, karşı çıkıyor...

Ve gün geliyor, bunlar belgeleniyor. Zorda kalınca sözlerini ve o toplantılara katıldığını kabul etmiyor, inkára yelteniyor, yalanlamaya kalkışıyor! Ne yazık ki mert, dürüst ve yürekli olamıyor. Sözlerinin bile arkasında duramıyor.

Oysa hepsi kitaplara geçti, arşivlere girdi. Kim kimi yalanlıyor? Yakışır mı, ayıp değil mi ABDullah Bey!

* * *

İnkár ettikleri bununla da kalmıyor. Geçmişte İngiliz The Guardian Gazetesi'ne verdiği söyleşide aynen şöyle demişti:

"Bu, Cumhuriyet döneminin sonudur. Laik sistem çökmüştür ve onu kesinlikle değiştirmek istiyoruz. (This is the end of the Republican period. Secular system has failed and we definitely want to change it.)"

TRT'de bu sözlerini de inkár etmesin mi!

Efendim gazeteci kendisine gelmiş, konuşmuşlar ama bu sözleri söylememiş, sonra da tekzip göndermiş! Hani nerede tekzip? Niçin bunu o zaman açıklamadın? Nitekim o haberi yazan İngiliz muhabir Jonathan Rugman yazdıklarının doğru, bant kaydının kendisinde olduğunu dün açıkladı.

Bir devlet adamı (!) düşünün ki, sıkıştığında geçmişteki bütün sözlerini inkâr ediyor. Ayıptır yahu!

Şimdi cumhurbaşkanlığı hülyaları da yattı, bir başka bahara kaldı. ABDullah Gül adına fevkalade üzüldüm!

Geç olsun da güç olmasın. İnşallah bir dahaki sefere! Allah selamet versin, Allah hiç kimseyi bu duruma düşürmesin. Amin.

Fetullahçılar ve Milli Görüş Protokole

Abdullah Gül, Dışişleri Bakanlığı koltuğuna oturmasının hemen ardından yurtdışı temsilciliklerine gönderdiği kripto ile Milli Görüş ve Fetullah Gülen cemaati temsilcilerinin devlet protokolüne sokulması isteğini iletiyor, kriptoda ayrıca büyükelçilerin cemaat temsilcileri ile temas kurması talimatı da veriliyordu.

Genelge ortaya çıkınca önce inkar ediliyor, ardından Yargıtay Cumhuriyet Başsavcılığı'nın devreye girmesi ve Dışişlerinde adeta arama yapması sonucunda genelgeler ortaya çıkıyordu. Aşağıda Milli Görüş ve Fetullah Gülen Cemaatı'nın Yargıtay Başsavcılığı gözüyle ne olduğunu konu ile ilgili bir yazışmada görüyorduk:

"T.C.

YARGITAY

CUMHURİYET BAŞSAVCILIĞI

(Siyasi Partiler Soruşturma Bürosu)

SAYI : SP 109. Muh. 2003/413

KONU :Fetullah Gülen ve Milli Görüş Örgütleri

DIŞİŞLERİ BAKANLIĞINA

(İstihbarat ve Araştırma Genel Müdürlüğü)

İLGİ : (a) 21.4.2003 tarih ve 2003/349 sayılı yazımız

b) 25.4.2003 tarih ve 166156 sayılı, 30.4.2003 tarihli yazınız.

(c) 01.5.2003 tarih ve 2003/367 sayılı yazımız

İlgi (a) sayılı yazımız ile "Milli Görüş ve Fetullah Gülen Cemaati" hakkında basına da yansıyan 16.4.2003 tarih ve 3846 ile 3847 sayılı genelgeler talep edilmiş, ilgi (b) sayılı yazınız ile anılan genelgelerin gizlilik derecesi gerekçe gösterilerek Bakanlığınız'da incelenmesinin uygun olacağı ifade edilmiş; ilgi (c) sayılı yazımız ile de bu konuda Bakanlığınız'da anılan belgeler üzerinde inceleme yapmak üzere Yargıtay Cumhuriyet Savcısı Ömer Faruk Eminaağaoğlu görevlendirilmiş ve söz konusu belgeler üzerinde Sayın M. Kemal Asya refakatinde incelemeler yapılmış bulunmaktadır.

1-Fetullah Gülen örgütlenmesi ile ilgili olarak;

"Cemaat" kavramının mevzuatımızda Lozan Anlaşması

paralelinde, Türk Vatandaşı olamayan bazı gayrimüslim topluluklar ifade için kullanıldığı ve bu Anlaşmaya hakim olan ilkeler ile Devrim Yasaları dikkate alındığında, (Terörbaşının kurduğu örgüte dernek ve parti ibaresinin yakıştırılması nasıl olanaklı değilse) "Türk Vatandaşı ve Müslüman olan" kişiler için cemaat tanımlamasının kullanılmasının hukuken mümkün olmayıp Fetullah Gülen örgütlenmesinin, demokratik yollardan devlet kademelerinde kadrolaşarak, Atatürk İlke ve Devrimlerini ortadan kaldırıp, şeriat esaslarına dayalı bir devlet kurmayı ve bunu takiben dünya İslam birliğini gerçekleştirmeyi hedeflediğinin Genelkurmay Harekat Başkanlığı'nın raporunda açıkça ifade edildiği (Ankara 2 No.lu DGM'nin 2000/124 esas sayılı dosyası, Klasör 17/B, sayfa 978 vd) ve anılan Kurum tarafından Mart 2002 tarihinde bastırılan "PKK, DHKP/C ve İrticai Terör Örgütlerinin Avrupa'daki Faaliyetleri" başlıklı kitapta da bu hususlara yer verildiği;

Yurtdışındaki faaliyetleri ile ilgili olarak örneğin Özbekistan'da Fetullah Gülen'in görüşlerine ilişkin propaganda çalışmalarında bulunan ve bu nedenle de anılan Ülke adli makamlarınca tutuklanan bu Türk Vatandaşı nedeniyle 23.4.1999 tarihinde Devletimize yönelik nota verilmiş olduğu;

Ankara Emniyet Müdürlüğü'nün 18.3.1999 tarih ve 1820, yine 21.4.1999 tarih ve 2456 sayılı gibi bir çok evrakında belirtildiği üzere Fetullah Gülen'in uzun vadede Devletin Anayasal düzenini değiştirerek şer'i esaslara dayalı bir devlet kurmayı hedeflediğinin ifade edildiği;

Ankara 2 No'lu Devlet Güvenlik Mahkemesi'nce;

2000/124 esas, 10.3.2003 tarih ve 2003/02 karar sayısı ile, 3713 sayılı Terörle Mücadele Yasası'nın 7'nci maddesi kapsamında kabul edilen Fetullah Gülen'in eylemine ilişkin olarak, bahse konu kamu davasının 4616 sayılı Yasa'nın 1.inci maddesinin 4'üncü bendi uyarınca kesin hükme bağlanmasının ertelenmesine karar verildiği; örgüt mensupları hakkında ise Anakara Devlet Güvenlik Mahkemesi Cumhuriyet Başsavcılığı'nca 2000/507 hz. sayılı soruşturmanın yürütülmekte olduğu;

2-Milli Görüş örgütlenmesi ile ilgili olarak ise;

Milli görüş örgütlenmesinin Genelkurmay Harekat Başkanlığı'nca düzenlenen raporda, şer'i esaslara dayalı devlet düzeni kurmayı amaçladığının belirtildiği (Ankara 2 No.lu DGM'nin 1999/37 esasa sayılı dava dosyası, Klasör no:17)

Anayasa Mahkemesince, bu görüş çizgisindeki Milli Nizam Partisi'nin 20.5.1971 tarih ve 1/1 sayılı; Refah Partisi'nin 16.1.1998 tarih ve 1/1 sayılı, Fazilet Partisi'nin 22.6.2001 tarih ve 2/2 sayılı kararla "laikliğe aykırı eylemlerin odağı" haline geldiklerinden bahisle kapatılmalarına hükmedildiği;

Milli Görüş Örgütlenmesi konusunda Ankara 2 No'lu Devlet Güvenlik Mahkemesi'nin 1999/37 esas, 20.4.2001 tarih ve 63 sayılı kararı ile yine aynı Mahkemenin 2001/72 esas, 26.6.2002 tarih ve 77 sayılı kararına konu olan sanıkların eylemleri, 3713 sayılı Yasa'nın 7.inci maddesi kapsamında kabul edilerek, 4616 sayılı Yasa'nın 1.inci maddesinin 4.üncü bendi uyarınca açılmış bulunan kamu davalarının ertelenmesine karar verildiği anlaşılmıştır.

Bazı basın yayın organlarında (Örneğin Sabah Gazetesi'nin 20 Nisan 2003 tarihli nüshasının 19.uncu sayfasındaki gibi) Bakanlığınız Sözcüsü tarafından bu yazıların rutin olarak yazılmakta olduğunun ifade edilmesi karşısında; her iki örgüt hakkında bu iki kripto yazısı dışında Bakanlığınızca teşkilata yönelik olarak, geçmişte veya bu iki yazıdan sonra düzenlenen başkaca yazı bulunup bulunmadığı; var ise tarih, sayı ve gizlilik derecelerinin ne olduğunun,

Başsavcılığımıza 0.312.4173337 numaralı faks yoluyla ivedi olarak bildirilmesi hususunda

Bilgi ve gereği arz olunur...

Ömer Faruk Eminağaoğlu

Yargıtay Cumhuriyet Başsavcısı Y."

Diplomatlara Gözdağı

1.5.2003 tarihli Cumhuriyet Gazetesi Abdullah Gül'ün genelgeler ile ilgili açıklamalarına yer veriyordu:

"Dışişleri Bakanı Abdullah Gül, Milli Görüş ve Fethullah Gülen Cemaatini devlet protokolüne sokan genelgelerin basına sızdırılmamasını istedi.

Dışişleri Bakanı Abdullah Gül'ün Milli Görüş ve Fethullah Gülen cemaatini devlet protokolüne sokan genelgelerin basına sızmasının ardından üçüncü bir genelge daha gönderdiği belirlendi. Cumhuriyet'in her üçüne de ulaştığı genelgelerde Fethullah Gülen cemaatine ait okulların dış temsilciliklerce birer "şirket" olarak değerlendirilmeleri istenirken "Milli Görüş mensuplarının bugüne kadar dış temsilciliklerce gerçekleştirilen faaliyetlere katkıda bulundukları" savunuluyor.

Dışişleri Bakanı Abdullah Gül'ün, Fethullah Gülen ve Milli Görüş ile ilgili büyükelçiliklere gönderdiği genelgelerin basına yansıması üzerine üçüncü genelgeyi de gönderdiği ortaya çıktı. Gül, üçüncü genelgede ilk iki genelgenin basına sızdığına dikkat çekerek "Bilindiği üzere kripto metinlerinin ve sayılarının bakanlığımız görevlileri dışındaki kişilere verilmesi yürürlükteki mevzuatımıza göre suçtur" diyerek diplomatlara gözdağı veriyor. Genelgelerin tam metni şöyle:

16 Nisan'da yurt dışı temsilciliklerine gönderilen

3846 no'lu genelgenin metni;

Yurtdışında Milli Görüş Teşkilatıyla Temas

Gereği;

Vatandaşlarımızın yoğun olarak yaşadıkları Almanya, Fransa, Belçika, Hollanda ve Avusturya gibi ülkelerde Milli Görüş Teşkilatı'nca oluşturulmuş dernek ve vakıflar; başta bir kısım vatandaşlarımızın dini ihtiyaçlarının karşılanmasının yanı sıra kültürel ve sosyal faaliyetlerde bulunmakta, ayrıca çeşitli vesilelerle düzenledikleri tören ve kutlamalar zaman zaman Büyükelçilikerimiz ve Başkonsolosluklarımız mensuplarını da davet edebilmektedirler. Yine çeşitli vesilelerle yurtdışına giden resmi yetkililerimiz (Bakanlar ve Milletvekilleri) kimi zaman Milli Görüş Teşkilatı'na ait dernek ve vakıfları ziyaret etmekte, mensuplarıyla görüşmelerde bulunabilmektedirler.

Milli Görüş Teşkilatı'na bağlı dernek ve vakıfların bünyesinde mevcut olabilecek aşırı unsurların faaliyetleri ilgili Müsteşarlığımızca izlenmekte olup, gerektiğinde Bakanlığımız da bilgilendirilmekte ve bilindiği kadarıyla, deliller mevcut ise haklarında takibat başlatılmaktadır. Diğer taraftan Milli Görüş Teşkilatı mensupları, bugüne kadar yurtdışındaki vatandaşlarımızın sorunları ve milli konularımızla ilgili olarak Dış Temsilciliklerimizce gerçekleştirilen faaliyetlerde katkıda bulunmaktadırlar.

Bu itibarla, yurtdışındaki vatandaşlarımızın birlik ve beraberliği ve devletin tün vatandaşlarını kucaklaması gerektiği ilkelerinden hareketle, Milli Görüş Teşkilatı kuruluşları ve mensuplarıyla, bunların genel faaliyetleri ve tutumlarına bağlı olarak, temas ve işbirliğinde bulunulabilir. Böylece, vatandaşlarımızın, aşırılıklara yönelmeleri ve/veya bulunulan ülke tarafından kullanılmaları ihtimalinin de önüne geçilmiş olunabilecektir.

3847 no'lu genelge

Yurtdışında Fethullah Gülen Cemaati'yle temas

Gereği

Fethullah Gülen cemaati çeşitli ülkelerde açtığı üniversite, ortaöğretim kurumları ve kurslar aracılığı ile eğitim faaliyetlerinde bulunmaktadır. Fethullah Gülen Cemaati'ne ait okullar, nüfusu Türk ve Müslüman ülkelerde daha yaygın olmakla birlikte, bu unsurların marjinal kaldıkları ülkeler de mevcuttur.

Eğitim kurumu niteliğindeki bu okullar, bir nevi ticari müessesi mahiyetindedir. Nitekim Fethullah Gülen Cemaati okullarının kuruluş çalışmalarına katılan ve işleten kişilerin genellikle bulundukları ülkede iş adamı konumundaki T.C. vatandaşları oldukları gözlemlenmektedir. Diğer taraftan gerek ülkemiz içinde gerek dışında eğitim veren bu müesseseler, Milli Eğitim Bakanlığımızın onayını almış bulunmaktadırlar. Bu okullarda çalıştırılan öğretmenler, yurtdışında gelir getiren bir işle meşgul olduklarını ibraz ettiklerinde, Milli Savunma Bakanlığı'nca askerlik ertelemesine tabi tutulmaktadırlar. Bu itibarla, Dış Temsilciliklerimizin söz konusu müesseseleri birer şirket olarak değerlendirmeleri, resmi ziyaretlerde önceden belirlenen programda yer almaları durumunda, bu mekanlara gidecek devlet yetkililerine (Bakan ve Milletvekilleri) refakat etmeleri, öte yandan, temas ve işbirliğini, bugüne kadar olduğu gibi, yerel koşullar göz önünde bulundurularak (misyonla ilişkileri, yerel makamların yaklaşımları, vb. unsurlar) misyon şefinin takdirine bağlı olarak yürütmeleri uygun olacaktır.

Her iki genelgeye ilişkin haberin basında yer almasından sonraki genelge:

1. İlgi kripto genelgelerimizle dış temsilciliklerimize Milli Görüş Teşkilatı ve Gülen Cemaati'yle temas ve işbirliğinde uymaları gereken esaslara ilişkin talimat gönderilmiştir.

2. Söz konusu kriptoların içeriği talimatın gönderilişini izleyen günlerde Türk basınında kripto sayılarına ve gönderen birim simgelerine de atıfta bulunulmak suretiyle yer almıştır.

3. Milli Görüş Teşkilatı ve Gülen Cemaati'yle temas kamuoyunda gizli olarak yürütülemeyeceği cihetle, özellikle gizlenecek-saklanacak bir husus bulunmamaktadır. Ayrıca Dış Temsilciliklerimiz bünyesindeki diğer birimlerin tutum ve davranışları bakımından da bir örneklik sağlanmasını teminen bu gibi talimatlardan bu birimlerin uygun bir biçimde bilgilendirilmeleri kuşkusuz tabiidir.

4. Bilindiği üzere kripto metinlerinin ve sayılarının Bakanlığımız görevlileri dışındaki kişilere verilmesi yürürlükteki mevzuatımıza göre suçtur.

Bu bakımdan keyfiyeti bilgilerine ve kripto güvenliğine ve muhaberata gizliliğe, yürürlükteki yasalarımız ve Bakanlığımızın geleneksel uygulamaları çerçevesinde azami özen gösterilmesini..."

Gül bu talimatlarla genelgelerin sızdırılmamasını emrediyordu.

Harf Devrimine De Karşılar Mı?

Tayyip Erdoğan'a ve Abdullah Gül'e adeta "Peygamber" ve üstü payeler veren, ve Derdoğan'ın danışmanı Akif Beki tarafından yazılan "Erdoğan'ın Harfleri" adlı kitapta Arapça özlemlerini de dile getiriyorlardı.

"...Zihinlerdeki savaş

Harf devriminin ilk etkisi, dini hayatın ana direği olarak görülen Medreseler üzerinde ortaya çıktı. Binlerce müderris, bir gecede işinden oldu. Bu kadarla da kalmadılar; havas (seçkinler) sınıfındayken en azından görünüşte avam arasına karıştılar. Türk Müslümanları 1928'de yazı öncesi döneme geri döndü, okur-yazar olma deneyimini yeni baştan yaşadı. Latin alfabesi, zaman içinde, Arapça-Farsça kelime ve seslerin baskın olduğu Osmanlıca çekirdekten arındırılmış yeni bir Türkçe ortaya çıkardı. Yaşanan sadece bir alfabe değişikliği olarak kalmadı. Yeni alfabe, önce konuşma diline nüfuz etti, sonra da Müslüman zihinlere.

"Bir Tarih Çalışması" adlı eserinde ünlü tarihçi Arnold J. Tonybee alfabe değişikliğinin altında yatan nedeni böyle açıklıyor. Ona göre kitapları yakmak yerine alfabe değiştirildi. Amaç, Türk Müslümanlarının kültürel kodlarını değiştirmekti. Kaynak eserinde Toynbee 1925'te Batılı şapkanın empoze edilmesini de Türk modernizasyonu mantığının bir işareti olarak gösteriyor.

İlginç olan, harf devriminin 3 yıl önceki şapka inkılabı kadar sert ve yer yer tepkilere yol açmış olmasıydı.

Gelenekçi İslamcılar Frenk serpuşuna (şapka) kıyasla, Kuran alfabesi olan Arap harflerinden hani neredeyse gönüllü olarak vazgeçip Latin alfabesini benimsedi..."

Kemalizm Moral Bozuyor Veya Gül'ün Röntgeni

"Şifre Çözüldü" adlı kitabında Ali Özoğul, "Tarihe kara bir leke olarak geçecek olan ibret belgesini, şu an Dışişleri Bakanı olan Abdullah Gül'ün 19 Aralık 1992 tarihinde gerçekleştirilen "Türkiye'nin Milli Bütünlüğü ve Güvenliği" konulu toplantıda yaptığı konuşmasının kaydını aktarıyordu. 27 Nisan 2007 tarihinde, ART televizyonunda ise Metal İş Sendikası Başkanı Mustafa Özbek, Gül'ün bu konuşmasını anlatıyor, tepkilerini dile getiriyordu:

Türkiye'nin Dışişleri Bakanı olan Abdullah Gül ve AKP'nin ülkeyi sürükledikleri felaketin rotası bu konuşmada açık şekilde durmaktadır. O toplantıyı yöneten Ali Coşkun da AKP iktidarının Sanayi ve Ticaret Bakanı oldu.

"Yurtta Sulh Cihanda Sulh" anlayışının çok yanlış olduğunu ve bir de bunu harp okullarının duvarlarına yazarak yanlışı daha da büyüttüğümüzü, "Ne mutlu Türküm diyene" lafının Türkiye'yi ilkelleştirdiğini ve en nihayetinde ağzındaki baklayı çıkartarak "Kuklanın arkasındaki kuklacıları mutlaka vurmamız gerekir. Onları mutlaka tespit etmemiz gerekir" diyen Abdullah Gül'ün tarihi konuşmasını, noktasına bile dokunmadan sunuyorum.

"...Yer: Ankara Diyanet Vakfı Konferans Salonu

Tarih: 9 Aralık 1992

Ali Coşkun:

Efendim, şimdi söz sırası çok değerli kardeşimiz ve milletvekili Doç. Dr. Abdullah Gül Beyefendi'de; "Moral Değerleri Açısından Türkiye'nin Milli Bütünlüğü ve Güvenliği" konusunu dile getirecekler. Buyurun.

Sayın Başkan, çok değerli dinleyiciler, Sayın Başkanın da söylediği gibi bana verilen konu; Türkiye'nin Güvenliği ve Bütünlüğü Açısından Moral Değerler.

Tabii her şeyden önce konuya biraz bağlı kalmak için moral değerler dediğimiz zaman neyi anladığımızı, moral değerlerin neyi ifade ettiğini doğrusu önce ortaya koymak gerek. İster lügat anlamında bakın, ister istilahat anlamında bakın moral değerler deyince manevi değerlerin, ahlaki değerlerin ve neticede de dinin bunu oluşturduğunu görüyoruz. Şimdi bu durumda peki o zaman bizim moral değerlerimiz nedir, bizim moral değerlerimizi oluşturan değerler nedir diye sorduğumuzda araştırdığımızda tabii ki bunun İslam olduğu, İslam dini olduğu, Müslümanlık olduğu apaçık yine ortaya çıkıyor.

Yüzyıllardır bu coğrafyayı vatan yapan ve bu coğrafyada hep beraber yaşayan insanlarımızın İslami değerlerle yoğrulduğu, İslami değerlerle kimliğini bulduğu ve yine apaçık gerçek. Öyle olmuş ki bunun dışında değişik karakterler değişik tabii ki değerler her toplumda olduğu gibi bizde de olmuş fakat, hiçbiri tam bir bütünlük arz etmemiş ve bütünlük arz eden, müşahhas misal olarak tam aydenti dediğimiz esas kimliğini İslam'da bulmuş. Şimdi moral ve ahlaki ve manevi değerleri böyle belirttikten sonra ülkemiz açısından özellikle bugün bazı tehditler altında olan ülkemiz açısından ne derece önemli ona bakmalıyız ama ondan önce bu değerler açısından Türkiye'nin içinde bulunduğu konum nedir? Ve sistem olarak Türkiye'nin yapısı ve bunun devam ettirilebilirliği nedir? Doğrusu bunu bir sorgulamak gerek bana göre.

Bu Sistem Bize Ters

Bugün Türkiye'de bir sistem bunalımı var, kendi bünyesine uygun düşmeyen, kendi değerlerine zıt ve zoraki uygulanmaya çalışılan ve halka zorla diretilen bir sistem. Bu sistemin yanlışlıklarını ve bünyemize ne kadar zıt olduğunu dış politikadan iç politikaya kadar, kültürden ekonomiye kadar görüyoruz. Aslında daha önce konuşan değerli konuşmacılardan, mesela Kamran İnan Beyin konuşmasında da gördüğünüz gibi söylediği şeyler aslında kendisinin olması gerektiğini söyleyip de maalesef olmayan şeyler. Aslında sistemin müsaade etmediği şeyler, Türkiye'deki düzenin ister düzen deyin, ister rejim deyin ne derseniz deyin onun müsaade etmediği gerçekleri ifade etti.

Bir gün ben kendisine meclis koridorunda dedim ki nasıl olur dedim siz bu fikirleri söylüyorsunuz parlamentoda uzun süre bulundunuz ve ayrıca da iktidar partisi olarak hükümette bulundunuz, niçin siz dışişleri bakanı olmadınız dedim. Bana "Sen gençsin anlamazsın" dedi. "Anayasada bir madde var" dedi, "Kamran İnan Dışişleri Bakanı olamaz diye." Şimdi burada tabii demek istediği, tam açık olarak söyleyemediği Kamran İnan Bey'in yani Türkiye'deki o sistemin, o kurulu düzenin, artık bunu siz nasıl ifade edersiniz edin rejimin, onun sınırlarına çıkılmaya müsaade edilmediğini gösteren bir ifadeydi bu söylemek istediği ve aslında haklıydı.

Atatürk İlkeleri Rahatsız Etmiş

Bugün söylemek istediği hepimizin ne kadar coşkuyla işte beğendiğimiz, alkışlandığımız konular. Şimdi halkına zıt, halkı ile barışık olmayan ona düşman bir sistem bu sistemdir ki bizi bugün Türkiye'nin ve ülkenin bütünlüğünü konuşmaya getiren, onu gündem noktası haline getiren böyle bir sistem içerisindeyiz doğrusu, 70 senedir. İşte bunun içindir ki bugün bu milletin bir parçası olan senelerdir beraber olduğumuz bazı insanlar, ayrılıkçı mücadele içerisine girmişlerdir, bunu derken onları haklı gösteren bir ifade kesinlikle anlaşılmasın, fakat bu işte, bu içinde bulunduğumuz düzenin, sistemin ne derseniz deyin bunların ortaya çıkardığı neticeler, yani sistem 70 sene içinde bırakın büyümeyi Türkiye'nin maddi ve manevi olarak halkını daha refaha daha zenginliğe ulaştırmayı ve bu şartlar altında bütünlüğü bile koruyamaz, ülke bütünlüğünü bile memleket bütünlüğünü bile tehlikeli duruma getirir hale gelmiş böyle bir sistem.

Türkiye'nin bu resmi ideolojisinin tabii karakterleri bu sistemi kuran tek partinin altı sloganı ile ortaya çıktı. Hepinizin bildiği gibi; cumhuriyetçilik, milliyetçilik, halkçılık, devrimcilik, devletçilik ve laiklik adı altında bunları özetleyebiliriz. Ama işin ilginç yanı şu ki bu milletin halkı bu millet bir araya gelip de; biz işte devletçi olalım, biz işte laik olalım, biz işte milliyetçi olalım, biz işte şöyle olalım, diye böyle bir karar vermemişler. Yani bir konsensüs neticesinde müşterek bir kararın veyahut bir meclisin kararının neticesinde çıkmamış bu ilkeler. Bu ilkeler hep, bu halka, bu coğrafyada bu millete, Türk milletine bir zorlatma şeklinde dayatılmış ve öyle uzun bir süre devam etmiş.

İşte bana göre bu zorlatma, bu diretme ki Türkiye'nin bütünlüğünü Türkiye'nin ve burada yaşayan insanların senelerdir, yüzyıllardır beraber yaşayan insanların, birliğini tehlikeli noktaya getirir hale düşmüş. Şimdi cumhuriyetçilik ki biz bunu demokrasi olarak da genişletebilirsek, uygulamada aslında öyle bir şey olmamış uzun senelerdir.

Uygulamada tam bir diktatörlük, tam bir tek parti devri, tam bir oligarşik bir devre geçmiş ve öyle olmuş ki tam halka zıt yönetim. Demokrasi açısından tek parti devrinin yaptığı şeyleri ve halka verdiği özgürlüğü, hürriyeti kendi halkına gösterdiği saygıyı yine hep beraber gayet iyi hatırlarız. Bu haliyle bütün demokratikleşme, bütün cumhuriyetleşme sözlerine, nutuklarına rağmen Türkiye bugün hala demokrasiyle idare edilen ülkelerden çok bazı konularda dünkü demirperde ülkelerini veyahut da bugünün belki meclisleri olmasına rağmen Irak'ını, Libya'sını, Suriye'sini andıran büyük karakteristikler var. Hala tabularının olduğu, hala söylenmez şeylerin olduğu, hala halkın yıldırıldığı Türkiye'de yaşıyoruz.

Ne Mutlu Türküm Diyene Sözüne Duyulan Kin

Türkiye'yi bu vasıfları bakımından, açık ve net şekilde konuşmak zorundayız. Demin dediğim gibi Türkiye bir Irak'a, Libya'ya benzeyen çok yanları var dedim. Neden? Aynı, tek adam pozisyonu, bugün gidin Irak'ta da Libya'da da Suriye'de de tek insanın resimleri vardır her yerde; varsa tek insanların heykelleri vardır. Ama Batı'da kumandanların, sanatkarların, devlet adamlarının heykelleri vardır, resimleri vardır, işte demokrasiyle idare edilen ülkelerde çok seslilik vardır. Ama biz bu halimizle işte bu demokratik ülkelere değil, aynı o beğendiğimiz tam diktatörlükle idare edilen ülkelere benzeme vasfından hala kurtulabilmiş değiliz.

Devrimcilik adı altında yine bir dizi hukuki düzenleme tepeden inme, zorla getirtilmiş ve halkın onayı, halkın desteği alınmadan zorla kabul ettirilmiştir. İlkelerden diğer birisi olan, milliyetçilik maalesef bir nevi ırkçılık şeklinde devam etmiştir Türkiye'de. Halbuki içinde bulunduğumuz coğrafyadaki bütün insanlar asırlardır İslam'ın ve bunun oluşturduğu manevi değerlerin potasında barışık bir hal yaşamış ve İslam'ın etrafında bunların hepsi bütünleşmişti. Öyle olmuş ki bırakın çok yıllar önceyi, son sıkıntılı yıllarımızda bile ne Çanakkale'de ne Medine müdafaasında ne Trablusgarp'ta insanlar birbirini taşırken, yaralılar birbirinin yarasını sararken hiçbirinin ırkının ne olduğunu sormayı akıllarından geçirmemişler. Bunları araştırmak İslam ahlakına uygun düşmeyeceğinden hiç kimsenin ilgi alanı içerisine girmemiş.

Milliyetçilik; demin dediğim gibi öyle olmuş ki; Türkçülük şeklinde alınmış ve bu ister istemez, aksini de bazı insanların aklına getirmiştir. Mesela bunları açık söylemek zorundayım "NE MUTLU TÜRKÜM DİYENE" lafını tutup her yere yaza yaza ve bunu özellikle hiç olmayacak yerlere yaza yaza, Türkiye aslında ilkel bir hale dönmüştür. "BİR TÜRK DÜNYAYA BEDEL" gibi bu laflar aslında Türkiye'nin o bütünlüğünü, Türkiye'nin o geçmişteki bütün insanları İslam kardeşliği etrafında toplanan bu bütünlüğünü tehdit eder anlama gelmiştir. Şimdi ne gariptir ki bu laflar; seyahat edersiniz, Doğu ve Orta Anadolu'ya, doğru geldikçe "ÖNCE VATAN" yazdığını, batıya Ankara'ya İstanbul'a gittiğinizde ise hiç rastlamazsınız bunlara. Yani bunlar tek parti devrinden kalan ve zorla, halkın kendi inanç değerleriyle bütünleşmeyen, bir dünya sistemini halka zorla kabul ettirmektir. Ama bunların zararlarını tabii biz daha sonra çekmeye başlamışız.

Laiklik İslama Saldırmakmış

Şu da bir gerçek, tarih boyunca görülmüştür ki en kalıcı ve birleştirici unsur din olmuştur. Ama bu demin dediğim gibi Türkiye'deki resmi ideoloji tarafından devamlı tehdit altına alınmış. Moral değerleri açısından yine Türkiye'nin bütünlüğünü tehdit eden, en ziyade tahribatı vermiş olan, sistemin ilkelerinin birisi de laiklik ilkesidir, laiklik olayıdır. Maalesef laiklik gerek kavram olarak, gerek uygulama olarak Türkiye'de hep münakaşa konusu olmuş. Önce laikliği devletin, devlet ile dinin birbirlerinden ayrılığı şeklinde en basit olarak tarif edersek, önce Türkiye'de tabii din demin böyle söylenmiş ondan sonra da tam bir kontrol altına alınmış, bununla da kalınmamış belli bir süre içerisinde din Türkiye'de ve tabii din dediğimiz de İslam, potansiyel tehlike olarak görülmüş ve devamlı devlet, buna karşı teyakkuz halinde durmuş.

Şimdi bir taraftan bu halkın, Türk milletinin bu coğrafyada yaşayan insanların bütün inanç değerleri, bütün moral değerlerinin ana kaynağı din olacak, İslam olacak, ondan sonra da siz bunu teyakkuz altında potansiyel bir tehlike olarak göreceksiniz ve bunu da uygulamalarda ortaya koyacaksınız. Maalesef Türkiye bunun örnekleriyle doludur.

Ezanın bugün senelerdir asli dilinin dışında okutulduğunu düşünürsek, nasıl dehşet bir devrin geçtiğini herhalde hepimiz idrak ederiz. Dini eğitimin nasıl bir sulta altında tutulduğunu hatırlarsak Türkiye'de nasıl bir devrenin geçtiğini herhalde çok iyi hatırlarız ve bütün bunlar yapılırken hukukun üstünlüğü veyahut hukukun geçerliliği de hiçbir zaman söz konusu olmamıştır. Zaten Türkiye'de belki de en çok ilga edilen, çiğnenen şey de bu olmuştur, hukuk olmuştur.

Bu din düşmanlığını esas alan ve hukuk tanımayan uygulama İslam inancı ve ahlakıyla yoğrulmuş olan halkımızı da tabii dışlamıştır ve özellikle onu kendi hayatında yaşamak isteyen insanları devamlı dışlamış, devamlı bunlara karşı kapılar kapatılmıştır.

Şimdi yine düşünebilir misiniz ki kıyafeti yüzünden köylerin basıldığı, şehirlerin basıldığı, insanların jandarma dipçikleri ile dövüldüğü bir ülke, bunlar maalesef bizim ülkemizde olmuştur. Şimdi bunlar hep bir insanların moral değerleri, ahlaki değerleri, manevi değerlerinin bir parçasıdır.

Bütün sırf bu inançlarından dolayı, bunlar eskiden olmuş ama bugün yine aynı şekilde ama başka bir şekilde devam etmekte, şimdi biz Mecliste bu konuları çok söyleyince bazen artık bu konunun tadının kaçtığını söyleyen arkadaşlarla karşı karşıya kalıyoruz.

Üniversitelerdeki bugünkü durum, şimdi siz bunu hangi demokrasiyle, hangi hukuk nizamıyla hangi insan haklarıyla bağdaştırabilirsiniz.

Dindar Subayları Atarsanız Ülke Biter

Sadece kılık kıyafetinden dolayı, sadece dini inançlarından dolayı üniversite kapılarından geri çevrilen, diplomaları verilmeyen bir sürü Türkiye'nin Müslüman genç kızları. Şimdi gerek Avrupa'nın, gerek Amerika'nın veya Uzak Doğu'nun hangi üniversitesine giderseniz gidin böyle bir uygulama ile mümkün değil karşılaşmazsınız.

Dün Avrupa Konseyi toplantısında idim, yeni bir karar tasarısı ile oradan geliyorum. Bütün üniversitelerde orta öğretim kurumlarında ve hatta ilköğretim kurumlarında hepsinde dini ne olursa olun, insanların dininin gereği olan, giyim, kuşam, yeme, içme veyahut ibadetlerini engelleyici her türlü yasakların kalkması ve bunların serbest bırakılması yönünde bir karar tasarısı alındı.

Şimdi düşünün Türkiye de üye buraya ve Türkiye'nin içinde bulunduğu hali dışarıda anlatmak çok daha zor oluyor. Türkiye'de bunlara anlatamazsınız çünkü Türkiye'de sadece kısıtlamanın gayri müslimlere olduğunu zanneder Batılılar. Ama siz Türkiye'de bu tip yasakların aslında Türkiye'deki Müslümanlar için geçerli olduğunu söyleseniz, önce kimse inanmaz buna, inanmaları mümkün değil çünkü ama Türkiye böyle bir tezat ülkesi. Aynı şekilde dini inançlarından dolayı veyahut sadece sade bir vatandaş olarak dindar olduğu için yani dışarıda dindar olan bir esnaf, dindar olan bir işçi gibi dindar olan bir tüccar gibi dindar olan bir subaya da siz eğer kendi ordunuzda hayat hakkı vermiyorsanız, onu çeşitli dolaylı yollarla bunu açıkça söylemeden, onu eğer saf dışı ediyorsanız sanki safra atar gibi sanki ajan yakalamış gibi onları eğer ayıklıyorsanız, siz o zaman bütünlüğünü, bu ülkenin devamını nasıl temin edersiniz? Tabii ki bütün bunlar bugün Türkiye'nin gündeminde olan ve Türkiye'nin konuşulan mevzuları, istediğimiz kadar biz bu konuları saklayalım. Bir taraftan resmi kültür olmaz diyeceksiniz ama öbür taraftan hem de tek parti devrinin resmi kültürünü zorlayacaksınız.

Bugün Türkiye'de yapılan şeyler bunlar doğrusu, bakın kültür bakanlığının faaliyetlerine; Türk halkının kültürüne, Türk halkının örfüne halkın inanç değerlerine uygun onu zenginleştiren veyahut onu ortaya çıkaran bir uygulama halinde mi? Yoksa aynı tek parti devrinden kalma resmi kültür, yani halkın bu inanç değerlerini değiştirmek için yapılan gayretlerin bir devamı mı? Şimdi bir taraftan bütün bunları söyleyeceğiz, bir taraftan da ülkenin bütünlüğü, ülkenin bölünmezliği bunlar tabii ülkenin bütünlüğünü aslında tehlikeye sokan gayretler ve faaliyetler, bugünkü televizyon yayınları hakkında Türk halkının şikayetleri ortada derneklerin, vakıfların hepsinin şikayetleri ortada, hatta siyasi partilerin şikayetleri ortada ama siz bu yayınları devam ettireceksiniz. Şunun için çünkü ideolojik bir şey bu aslında. Kendiliğinden 4 tane memurun programcının bir araya gelerek yaptığı şeyler değil, aslında bu resmi ideolojinin işte o tek parti devrinden gelen resmi ideolojinin hala devamı, o ideolojinin, o sistemin iktidarda olduğunu gösteren şey, nedir bu? O Türk halkının kendi inanç dokusunu bozmak için onu yozlaştırmak için ve onu bir daha geri dönmeyecek şekilde mahvetmek için yapılan gayretler ve çalışmalar.

Kemalizmi Yaşatanları mı Vuracaksınız

Biz istediğimiz kadar yeni Türk Cumhuriyetlerinden bahsedelim istediğimiz kadar oraya gidip gelmekten bahsedelim ama yaptığımız Avrasya yayınıyla o ülkeleri bizden ne kadar uzaklaştırdığımızı ve o ülkeleri bizim hakkımızda ne kadar çok şüpheye düşürdüğümüzün farkında mıyız? Buradaki çok kıymetli kişiler devamlı gidip geliyorlar oraya, resmi çevreler de gidip geliyor ve Meclis'ten de gidip geliniyor.

En çok orada sorulan şey gerek devlet kademesinde olsun gerekse fert planında olsun en çok sorulan şey bu yayınlar, Avrasya yayınları ve hatta bize orada devlet ilgililerinin söylediği şey, Ruslar bizim ahlakımızı bozamadığı bu kömünist süre içerisinde fakat Avrasya yayınları mı bozacak? Peki şimdi bunlar tabii hepsi moral değerlerin içerisine girdiği için bahsediyorum, ama bunlar Türkiye'nin realiteleri, bütün bunlar olurken ondan sonra Türkiye'nin bütünlüğünü neyin etrafında toparlayacaksınız? Belki bunlar 70 sene önceki insanlar, imanları devam ettiği için inançları aileden gelen örf ve adetleri devam ettiği için ayrılıkçılığı istemiyorlardı, Allah korkusundan dolayı.

Ama bugün siz bir taraftan imanını alın devlet olarak, eğitim olarak televizyonla, başka yayınlarla, inancını tamamen onların yok edin boş bir hale getirin, onları doldurmayın ondan sonra da bu insanları karşınıza bu şekilde işte, ayrılıkçı olarak hatta bu şekilde terörist olarak ve hatta bu şekilde dış dünyanın, başka insanların kuklaları olarak çıkarlar. Dolayısıyla biz, yani sadece kuklalarla bunu ister insanlar isterse olaylar olarak alın uğraşmakla doğrusu köklü çözümlere varamayız.

Bunun için işte o kuklaların arkasındaki kuklacıları vurmamız gerekir ve onları tespit etmemiz gerekir. Bu, dışarıdaki ülkeler olabildiği gibi kendi içimizdeki de bu sistem, bu düzen.

Türkiye'de maalesef şöyle bir gerçek var. Bizim kanaatimiz Türkiye'de bir azınlık var ki bu azınlık işte aydın geçinen, bürokrat geçinen bir azınlık. Bu azınlık Türkiye'nin bölünmesini, ufalmasını göz önüne almakta ama bu sistemin değişmesinden vazgeçmemekte. Şimdi bu tercihin yapılmazı lazımdı; ufak bir Türkiye, bölünmüş bir Türkiye bırakın daha büyük dünyaları kucaklayan, ama bu körü körüne bu sistemin, bu düzenin ne derseniz deyin, bunun devam etmesinde ısrar eden böyle bir zihniyet veyahut bu zihniyetin gözden geçirilmesi ve ona göre tekrar çeki düzen verilmesi aslında Türkiye'nin sadece bu mevcut bütünlüğünü korumak açısından değil, Bosna'dan ta Türk cumhuriyetlerine kadar, ta Çin'deki, oradaki dindaşlarımıza, ırkdaşlarımıza kadar hepsini kucaklayabilecek yeni bir anlayışın getirilmesi.

Kemalist Zihniyet Savaştan Kaçıyormuş

Bunu dış politikada da görürsünüz, aslında hep beraber alkışladığımız Kamran İnan Bey'in özeti şuydu bence. "YURTTA SULH CİHANDA SULH" anlayışının ne kadar yanlış olduğu, veyahut Türkiye'de senelerdir olayların bunun nasıl tersini ispat ettiğini göstermiştir. Çünkü ne olmuştur? Biz bunu sadece, tabii ki yurtta da cihanda da sulhu isteriz, bırakın insanların kanının akmasını, her türlü canlının katledilmesine karşıyız. Ama dünyanın gerçeklerini de bilmek zorundasınız, biz ama ne yapmışız bu sistemin gereği olarak bırakın bunları çocuklarımıza böyle şartlandırmayı, harp okullarının duvarlarına bile bunları yazmışız. Subayın, askerin kafasına bile bunları sokmuşuz ve buna inandırmışız ve bunun neticesidir ki işte Bosna'da Hersek'te veyahut işte Türk dünyasında Asya'da bütün bu elim hadiseler olmuştur.

İki sene öncesine kadar Almaata'nın nere olduğunu sorsak Türkiye'de kaç kişi bilirdi? Bilmezdi, çünkü bu sistemin neticesidir ve Türkiye'deki bu halka rağmen dayatılan uygulamaların neticesidir.

Ama olaylar Türkiye'nin bu sistemini kırmıştır, bu şartlanmayı kırmıştır. Önce Bulgaristan'da hatta ondan önce Kıbrıs'ta daha sonra işte Bosna-Hersek'te, Türk Cumhuriyetlerinde olan olaylar bizi zorlayarak işte bizim o bünyemize uygun olan harekete girmeye zorlamıştır. Ama bir taraftan maalesef o azınlık zihniyet bunu hep gemlemiştir.

Demin Kamran İnan Bey'in söylediği gibi şimdi hem Türkiye'nin bütünlüğü hem Türkiye'de yaşayan insanların maddi ve manevi yönden refaha ve daha iyi duruma gelebilmesi ve hem de Bosna-Hersek'ten bugün Asya'da ortaya çıkan Türk cumhuriyetlerine kadar bütün bir dünyayı kuşatabilmemiz için bütünlüğümüzü sadece bu coğrafyada değil, daha büyük yerlere, değişik şekiller altında olabilir bu taşıyabilmemiz için doğrusu bu tek parti devrinden kalan zihniyetin değiştirilmesi ve özellikle de bunun bu moral değerler açısından ve İslam'a bakış, Türk Milletinin dinine olan bakış açısından değişmesi gerekir kanaatindeyim.

Bu açıdan bu ikinci cumhuriyet, yeni Osmanlıcılık kavramlarının ve bu tartışmaların ortaya gelmesini ben çok sağlıklı olarak görüyorum ve geleceğe çok ümitle bakıyorum. Sözlerimi burada tamamlayıp, hepinizi saygıyla selamlıyorum..."

Gül'ün dikeni

Hüseyin Macit Yusuf, Aydınlık Dergisi'nin 29 Nisan 2007 tarihli sayısında "Gül'ün dikeni" başlıklı yazısında, Gül ve ekibinin Kıbrıs politikalarını daha açık bir deyişle politikasızlıklarını anlatıyordu:

"... AKP iktidarı TBMM'deki sayısal üstünlüğünün avantajını kullanarak, hiçbir uzlaşma ihtiyacına gerek duymadan Başbakan Yardımcısı ve Dışişleri Bakanı Abdullah Gül'ü Cumhurbaşanlığı makamına aday göstermiştir.

3 Kasım 2002 seçimlerinde oy kullananların sadece yüzde 34'ünün oyunu alarak iktidar olan AKP, Cumhuriyetimizin makamlarını işgal etmeye devam ediyor. Cumhurbaşkanlığı makamının da AKP'nin kontrolüne geçmesi laik Cumhuriyetimiz için en büyük tehdit olacaktır. Atatürk Türkiye'si, Anavatanımız bu hallere düşürülmemeliydi.

AKP iktidarında Kıbrıs Türkü ve KKTC tehdit altında ve her an yok olmakla karşı karşıya bırakılmıştır. Hiçbir Anavatan Hükümetinin reva görmediği olumsuz şartlar AKP iktidarı döneminde Kıbrıs Türküne dayatılmıştır.

AKP iktidarının daha ilk günlerinde Emperyalizm hemen harekete geçmiş ve Annan Planı ortaya atılmıştır. KKTC'yi

Kıbrıs Türkünü ortadan kaldırmayı hedefleyen bu kahpe Plan AKP iktidarı tarafından hemen benimsenmiştir. Planın mahzurlarını Amerika'da yattığı hastanede dillendiren Cumhurbaşkanı Denktaş uzlaşmaz ilan edilmiş ve iktidardan uzaklaştırılması için düğmeye basılmıştır.

Aralık 2002'de Kopenhag Zirvesinde Türkiye'ye müzakere tarihi alabilmek için KKTC yem olarak kullanılmıştır. Bugün Cumhurbaşkanlığına aday olarak gösterilen ve o tarihte emaneten Başbakanlık koltuğunda oturan Abdullah Gül bu siyasetin belirleyicisi olmuştur.

Kopenhag'da KKTC, tarihin karanlıklarına gömülmekten ve Kıbrıs Türkü de Ruma yama yapılmaktan son anda Cumhurbaşkanı Denktaş ve o tarihte KKTC Dışişleri Bakanı olan Tahsin Ertuğruloğlu'nun direnmesiyle kurtulabilmiştir.

Kıbrıs Sorununu AB Platformuna Taşıyan İkili

Kıbrıs sorunu, o tarihte AKP Genel Başkanı olmaktan başka siyasi hiçbir yetkisi ve sorumluluğu olmayan Tayyip Erdoğan ve Başbakan Gül tarafından AB platformuna taşınmış ve geleneksel politikamız olan Kıbrıs sorununun tek çözüm platformunun BM olması siyasetimiz terkedilmiştir.

Annan Planı referandumuna gidilen süreçte ABD ve AB güdümündeki AKP iktidarı KKTC halkı üzerindeki baskılarını artırarak referandumdan "evet" çıkması için her yola başvurmuştur. Tehdit, şantaj, baskı ve inanılmaz vaatlerle Kıbrıs Türkü kandırılmış ve ateşe atılmıştır. Başrollerde yine Abdullah Gül vardır.

Abdullah Gül'ün o tarihte söyledikleri bugün daha da anlamlı hale gelmiştir. Gül şöyle diyordu: "Bağımsız KKTC'nin tanınabilmesi olasılığını ve ilhakı gerçekçi görmüyorum. Bizim kanaatimiz; yeni oluşacak Kıbrıs Devleti içinde Kıbrıs Türkleri daha rahat yaşayacaktır."

Abdullah Gül'e göre KKTC'nin tanınması hiçbir zaman hedef olmamıştır. Hatta Sayın Gül, KKTC'nin yok edilmesiyle kurulacak olan Birleşik Kıbrıs çatısı altında bir eyaletten farklı olmayan Kıbrıs Türk Devleti içinde, yani Ruma yama yapıldığımız, azınlık haline getirildiğimiz yeni bir düzenlemede, Kıbrıs Türkünün daha mutlu olabileceğine inanmaktadır. Anavatan Türkiye'nin Cumhurbaşkanlığına aday olan Sayın Gül'ün KKTC ve Kıbrıs Türkleri hakkında düşündükleri bunlardır. Endişelenmemek tepki göstermemek elde değildir.

Abdullah Gül'ün zaman zaman çeşitli milli törenlerde günün anlam ve öneminin zorlamasıyla KKTC için söylediği olumlu beyanlara itibar edilmemelidir. Kıbrıs Barış Harekatı ve KKTC'nin kuruluş yıldönümlerinde "KKTC yaşayacak ve yaşatılacaktır" söylemleri tamamen takiyyedir; hem de nalınlı takiyye.

Kıbrıs Meselesini İçinden Çıkılmaz Bir Hale Getirdi

Dışişleri Bakanı olarak Kıbrıs sorununa çözüm bulabilme çalışmalarında Abdullah Gül sınıfta kalmıştır. Kıbrıs sorununun çözülmesi gerektiğini söyleyerek, iktidara gelir gelmez kolları sıvayan ve "çözümsüzlük çözüm değildir", "bir adım önde Kıbrıs sorunu çözülecektir", "siyaset sorunlara çözüm getirme sanatıdır" zihniyetiyle hareket eden Gül maalesef Kıbrıs sorununu değil çözmek, içinden çıkılmaz bir hale getirmiştir. Sayın Gül Annan Planı referandumundan sonra Kıbrıs Türklerine verilen sözlerin tutulmaması üzerine "kendisinin de kandırıldığını" itiraf edecek kadar da pişkinlik içerisindedir.

Abdullah Gül'ün 24 Ocak 2006 önerileri ve eylem planı bir Afrika ülkesi olan Sudan dışında hiçbir ülke tarafından destek görmemiştir. Gül'ün şu an destek verdiği 8 Temmuz 2006 Talat-Papadopulos mutabakatı (Gambari süreci) da maalesef işlevselliğini yitirmiştir. KKTC üzerindeki izolasyon ve ambargolar kalkmadığı gibi bu yönde AB platformunda yürütülen çabalardan da olumlu sonuç alınmasının mümkün olmadığı apaçık ortadadır.

Anavatan Türkiye'deki AKP iktidarının ve onun Dışişleri Bakanı Gül'ün Avrupa Birliği'ne üyelik süreci sorunlara esir düşmüştür. Türkiye'nin üyelik müzakereleri 8 başlıkta dondurulmuştur. Ankara Anlaşması Ek Protokolü imzalanarak tanıması, ilişkilerini normalleştirmesi ve hava-deniz limanlarını açması taahhüdü verilmiştir.

Gül'ün Karnesi Zayıf

Bölgesel dış siyasetimizin ve ilişkilerimizin doğru dürüst yürütüldüğü de söylenemez. Balkanlarda, Kafkaslarda, Orta Doğu'da, Türkiye'yi yakından ilgilendiren tüm konularda gereken adımlar atılmamakta ülke çıkarlarımız gerektiği gibi korunmamaktadır. BOP eşbaşkanlığı görevi üstlenilerek Amerika'nın çıkarlarına hizmet edilmektedir.

Dış Siyasetimizin baş aktörü olan Sayın Gül'ün karnesi onu sınıfta bırakmışken, ülkemizin bir numaralı makamına onu paraşütle indirenlerin ne tür bir gaflet içerisinde oldukları apaçık ortadadır. Milletimizin 14 Nisan'da şahlanan iradesiyle bunlardan kurtulacağımız gün yakındır. Türk Ulusu dikenli güllere layık değildir..."

Alman Vakıfları, Leyla Zana ve Gül

Abdullah Gül, Ankara DGM'de laik düzeni yıkmak suçlamasıyla haklarında dava açılan Alman Vakıfları hakkında, yargılama devam ederken, açılan soruşturmalar için geçmiş hükümeti sorumlu tutuyor, bu vakıfların Türkiye için olumlu çalışmalar yaptığını söyleyebiliyordu.

Oysa Alman vakıflarının ileri gelenleri, Orduya hakaret etmiş, insanlarımızı kamplara ayırma çalışmalarına girmişlerdi.

Abdullah Gül, Başbakanlığı zamanında Avrupalılara, Leyla Zana ve arkadaşlarının durumlarını en kısa zamanda düzeltme sözü veriyor, PKK'lılara bayram yaptırıyor, çok geçmeden Zana ve arkadaşları tahliye ediliyordu.

Mayıs ayı sonları ve haziran ayı başlarında cezaevinde bulunan ve PKK'ya yardım ve yataklıktan hükümlü eski DEP milletvekillerinin tahliye edilecekleri başta Hürriyet olmak üzere bazı basın ve yayın organlarında yoğun bir şekilde işlenmeye başlıyordu. PKK'ya silah ve eleman temin eden terörist ülke Almanya'nın milletvekili cezaevi kapısına tekme ve yumruklarla saldırarak çığlıklar atıyordu.

25 Eylül 2003 tarihinde Almanya'ya giderek, Türkiye'nin doğusunda Kürt devleti kurulmasını isteyen, Kıbrıs'ta da Ada'nın tamamının Rumlara kalması için Birleşik Kıbrıs çığlıkları atan Türk düşmanı Roth'a, Türkiye'deki gelişmelerle ilgili rapor veriliyordu. Rapor veren AKP heyetinde; Aksaray Milletvekili Ahmet Yaşar'ın yanında Cüneyt Zapsu da hazır bulunuyordu. Heyetteki bir diğer ilginç isim ise, Konrad Adenauer Vakfı Başkanı Wulf Schönbohm'du.

09.06.2004 tarihinde eski DEP milletvekilleri Selim Sadak, Leyla Zana, Mehmet Hatip Dicle ve Orhan Doğan hakkında tahliye kararını veren Yargıtay 9. Ceza Dairesinin üyelerinin Avrupa Parlamentosu'nun davetlisi olarak karardan yaklaşık on gün kadar önce Strazburg'a gittikleri ortaya çıkıyordu.

Daire Başkanı Hasan Gerçeker, üyeler; Şerif Erol, Neşe Seber, Mahmut Acar, Ekrem Ertuğrul'un bu davet öncesi DEP milletvekillerinin tahliyelerine olumsuz baktıkları ancak gezinin ardından tahliye edilmelerinin demokratik bir hakları olduğu şeklinde konuştukları, DEP milletvekillerini yere göğe sığdıramadıkları öğreniliyordu.

Cezaevinden salınan DEP milletvekilleri HADEP Genel Başkanı ve başlarında Zana olduğu halde mitingler düzenliyor. PKK ile Türkiye Cumhuriyeti'ni aynı kefeye koyuyorlardı.

29 Haziran 2004 tarihinde kendilerine "Özgür Yurttaş Girişimi" adını veren bir gurup Apo'nun serbest bırakılması için imza topluyorlardı.

4 Temmuz 2004 tarihinde İstanbul'da PKK'nın kuduzla-

rı, başları APO ile devletin diyaloga geçmesini, imralı cezaevinin pardon beş yıldızlı otelinin kapatılmasını istiyorlardı.

Aynı gün, Adana ve Urfa'da da kuduran PKK'lılar Apo için özgürlük çığlıkları atıyorlardı.

Leyla Zana ve arkadaşları AB büyükelçilerine yemek veriyor, bu yemeğe Dışişleri Bakanı Abdullah Gül'ü davet ediyorlardı. Gül, bölücü terör örgütüne yardım ve yataklıktan hükümlü ve sanık olarak yargılanan sizler kim oluyorsunuz da böyle bir davet verebiliyorsunuz diyemiyor, kem küm etmekle yetiniyordu.

Zana ve ekibinin verdiği yemeğe altı ülkenin büyükelçileri ile AB Türkiye temsilcisi Kretschemer katılıyordu. Öğle yemeğinden önce de PKK'ya silah desteği veren terörist ülke Almanya'nın Büyükelçisi, Zana ve arkadaşlarına kahvaltı sunuyordu.

Bu olanlar sonucunda iyice coşan kanlı terörist "Cumhuriyet reformunu istiyorum" diyerek, paçavralarında; soy esaslı ulus kavramı yerine ülke esaslı ulus kavramının temel alınması, diğer dillerin anayasal güvenceye kavuşturulması şeklindeki hezeyanlarına devam ediyordu.

Bundan bir süre önce "Toplumsal Dönüşüm" yayınlarından çıkan, "AKPapa'nın Temel İçgüdüsü" adlı kitabımda eli kanlı terörist başının 58. Hükümetin başı olan Abdullah Gül'e yazdığı mektubu ve AKP- PKK ilişkilerini yazmıştım:

"...15 Temmuz ve 26 Temmuz 1981 yılında yapılan PKK'nın 1. Kongresinde, bundan sonra yapacaklarını açıklayan "Ağzı kanlı, gözü kanlı kuduz it" 30 bin insanımızın katledildiği, binlerce asker sivil vatandaşımızın yaralandığı, sakat kaldığı bir süreci şu sözleri ile başlatıyordu;

"Özellikle coğrafi koşulların, siyasi temelin, askeri araç ve gereçlerin, örgütlenmenin uygun olduğu alanlarda gerilla mücadelesi gündeme gelecek ve bu mücadele Kürdistan'da önemli roller oynayacak...

Partinin şiddete dayanan ve dayanmayan mücadele yöntemleriyle sağlayacağı siyasi gelişme ve bu siyasi gelişmeyi daha da hızlandıracak gerilla savaşı bir halk ayaklanmasına yol açacaktır...

Gerilla savaşı geliştirilmeden Kürdistan koşullarında siyasi sonuçlar alınabileceğini, siyasi amaçlara ulaşılabileceğini sanmak gülünç olur..."

Bu sözlerle kanlı terör eylemlerine başlayan PKK, 15 Ağustos 1984 yılında Eruh ve Şemdinli baskınlarıyla saldırılarını geliştirmişti.

Kanlı terör örgütü PKK'nın elebaşısı, paketlenip Türkiye'ye postalandığının ilk anlarında "Ben Türküm, Türkiye'ye çalışmak istiyorum" diyordu. Sonra baktı ki, kendisine hiçbir şey yapılmıyor, padişahlarda bulunmayan lüks ve şatafat kendine sunuluyor, anında Alman aklına uyarak yine köpekleşmeye başlıyordu.

18.02.1999 tarihli Die Welt Gazetesi'nden Ansgar Graw; 1990 yılında Alman vatandaşlığına geçen ve Bonn'da ikamet eden Şah döneminin Bonn Elçilik Müsteşarı Ali Ghazi, "bir çok kere dönemin Başbakanı Kohl'a Öcalan'ın şahsi mesajlarını getirdim" diyordu. Kohl da Öcalan'a milletvekillerini, istihbarat elemanlarını gönderiyor, Alman Devletinin imkanlarını ayaklarına seriyordu. Böylece uyuz it ile Akbaba birlikteliği daha da artıyordu.

Hamburg Üniversitesi Anayasa Profesörü Norman Phach; "APO'nun Türkiye'ye getiriliş şeklinin milletlerarası hukuk kurallarına aykırı olduğunu, mahkemenin adil olmayacağını, bu yüzden milletlerarası mahkemelerde yargılanması gerektiğini, DGM'nin ise milletler arası mahkeme standardında da olmadığını söylüyor, BM Güvenlik Konseyi'nin davayı takip edeceğini, davanın Konseye kadar gidebileceğini" iddia ediyordu.

Andrea Bacınoğlu "Modern Alman Oryantalizmi" adlı kitabının 183. sayfasında **"Tehdit Altındaki Halklar Derneği"** Başkanı **Tilman Zülch**'ün, Federal Alman Hükümeti ve NATO Üyelerinden, generallerimizin uluslararası mahkemede yargılanmalarını talep ettiğini belgeliyordu:

"Öcalan'la birlikte Türk Ordusu'nun generallerini ve önde gelen Türk politikacılarını insanlığa karşı suç işlemekten uluslar arası mahkemelere çıkarılmasını istiyorum, Zira Türk Ordusu da binlerce Kürdün katlinden, idamından haksız yere hapse atılmasından, işkencelerden geçirilmesinden ve kaybedilmesinden sorumlu tutulmalıdır..."

17.12.1999 tarihli Frankfurter Rundschau Gazetesi'nde Avrupa'nın girişimde bulunması isteniyor ve şöyle deniyordu:

"Türk hükümeti ve özellikle de subaylar sınıfı, eldeki bütün politik yollarla, Kürtlerle iç barışma, Kürt kimliğini tanıma ve Kürtlere eşitlik verme rotasına çark ettirilmelidir. Bu, geciktirilmeye tahammülü olmayan bir Avrupa görevidir..."

Die Zeit'ten Theo Sommer de, "Son taşkınlıklar, her şeyden önce şunu kanıtladı. Kürt sorunu çoktan bir Avrupa sorunu olmuştur. Tabi büyük ölçüde özel bir Alman sorunu aynı zamanda..." Ve devam ediyordu Sommer:

"Anadolu'daki iç savaşın kendi topraklarımıza sıçramasını engellemek istiyorsak, Ankara'daki hükümet, Kürt çatışmasını istediği kadar kendi 'iç sorunu' saymaya devam etsin, biz Almanlar mutlaka müdahale etmeliyiz..."

Amerika Avrupa ve özellikle Almanya, ya da namı diğer Akbaba'nın sonsuz desteği ile biti kanlanan uyuz it ya da namı diğer Apo sağa sola mektuplar yağdırıyordu;

Bebek Katili İmralı'da verdiği ifadelerde; Suriye'deyken Alman gizli servisinden Lummer'in kendisini ziyaret ettiğini, Alman gizli servisinden Grumlent ile görüştüğünü, yine bu elemanlarla birlikte bazı parlamenterler ve özellikle Steinbach ile bir araya geldiğini anlatıyordu. Akbaba'nın kuklası kuduz it, Almanya ile ilk ilişkilerinin 1980'lerde başladığını belirtiyor, Alman bayan parlamenterlerin kendisini ziyaret ettiklerini, destek verdiklerini de açıklıyor, Almanya-ABD ve İngiltere'nin birlikte hareket edebileceğini de vurguluyordu.

Bu uyuz itin anlatımlarına göre yerli hayranları da oldukça fazlaydı; Siyasiler, sanatçılar, zengin işadamları, eğitimciler, medya gurupları, sol örgüt liderleri, siyasi partiler, dernekler, belediye başkanları dahil ilişkide olduğu bir çok insan vardı. Kendisine yakın olan siyasiler hakkında şöyle konuşuyordu.

"1993'de gazeteci Hasan Cemal yanıma geldi. Bana İsmet Sezgin'den 'Üslubunu düzeltsin, hükümetin söylediklerini de fazla hesaba almasın' şeklindeki notunu getirdi..

Özal'ın ölümünden sonra Semra Hanım'a başsağlığı mesajı gönderdim. Sağlığında benim için söylediği 'Söyleyin ona yaptığın her şey yanlış değildir' bu söz beni çok etkiledi"

Sanatçılar arasında; Ahmet Kaya, Şirvan Perver, Gülistan, Şahturna (bana MED TV'ye çıkmak istediğini ve yardımcı olunması yolunda mektup yazmıştı) bu sanatçılar yaptıkları programlarında ücret almaksızın MED TV ve diğer etkinliklere katılarak örgüte katkı sağladılar..."

PKK'ya yardım yapan işadamları için de şunları söylüyordu:

"Tatlıses Turizmin İstanbul bağlantılı ve gönüllü yardımlarını gördük... "Tayyip Erdoğan'ın helikopteri ile gezdiği ve yakın olduğu Toprak için de; Toprak Holding (Halis Toprak)ın parasal yardımlarını zaman zaman gördük..."

24.04.2002 tarihinde Ankara DGM Savcılığına ifade veren M.S. adındaki itirafçı, İbrahim Tatlıses'in PKK ya yardım ve yataklık yapma olayları ile ilgili olarak bildiklerini şöyle anlatıyordu:

"1993 yaz aylarıydı. Ben o zaman Garzan eyaletinde Ebubekir kod isimli bölge sorumlusunun yanında görevli idim. Ancak bir çatışmada dizime kurşun isabet etmişti. Tedavi olmakla birlikte kurşun dizimde kaldığı için biraz ağrı çekiyordum. Bir gün beni telsizle Ebubekir kod aradı, iki yaralı olduğunu acele gelmemizi söyledi. Ben o sırada görevli olarak köye gitmiştim. Ebubekir kod ve yanındakiler çatışmaya girmiş biz gittiğimizde yaralılardan biri ölmüştü. Diğer yaralı Pelin isminde bir bayandı.

Pelin'in İstanbul'a götürülüp tedavi edilmesi gerektiğini söyledi. Bunun üzerine görevli milis ile birlikte beyaz bir steyşın taksiye Pelin'i bindirerek İstanbul'a getirdik. İstanbul'da bizi Diloban kod isimli örgüt mensubu karşıladı. Diloban telefonda birisi ile konuştu. Bu konuşmadan yarım saat sonra İbrahim Tatlıses geldi. Yanında "Hocam" diye hitap ettiği beyaz saçlarının ön kısmı dökülmüş doktor vardı. Doktora Pelin'i gösterdiler... **İbrahim Tatlıses Diloban'a dolar olarak bir miktar da para verdi.** Bu arada ben de doktora dizimi gösterdim. Benim ile ilgilendi ancak kurşun kas damarlarının altında kaldığından çıkaramayacağını söyledi. Bilahare Pelin'i tedavi etmek üzere alıkoydular...

Milis hemen Bitlis'e dönecekti. Ben de izin alarak yanlarından ayrıldım. Milis ile birlikte Bitlis'e döndüm.

İbrahim Tatlıses'in örgüte yardımda bulunduğu, yaralıları tedavi ettirdiği zaten biliniyordu. Ayrıca İbrahim Tatlıses'in Avrupa turnelerinde oralardaki örgüt yetkililerine para verdiği de zaten biliniyordu dedi. Benim olay hakkındaki bilgim budur. Pelin isimli bayan İbrahim Tatlıses tarafından tedavi ettirildikten sonra tekrar kırsala dönmüştü, kırsalda girdiği çatışmada hayatını kaybetti dedi başka bir diyeceğinin olmadığını söyledi beyanı okundu imzası alındı..."

Yine bir başka itirafçı İbrahim Tatlıses'in örgüte maddi destekler sağladığını kendilerine "Hevallerim" diye hitap ettiğini zaferin yakın olduğunu söylediğini ifade ediyordu.

"Yasalar örümcek ağına benzer, güçlü olanlar deler geçer güçsüzler takılır kalırlar" sözü burada bir kere daha gerçekleşiyor ve İbrahim Tatlıses bütün bu delilller karşısında **"zamanaşımı"** gerekçesiyle yaptırımlardan kurtuluyordu.

İbrahim Tatlıses Aralık 2003 yılında özel bir televizyon kanalında Kürtçe şarkı söyledikten sonra, **"İlk adımı ben attım ikinci aşama da gelecek"** şeklinde hezeyanlarda bulunuyordu.

İkinci aşamanın ne olduğunu soran gazeteciye **"Öcalan'ın tahliyesi var mı itirazın"** diye cevap verdiği basına yansıyan Tatlıses, tartıştığı bu muhabirin çalıştığı gazeteyi beş adamı ile basıyordu.

12 Aralık 2003 tarihli **"Özgür Gündem"** Gazetesi'nde İbrahim Tatlıses'e tam destek veriliyordu. Gazetenin köşe yazarlarından **Ahmet Kahraman**, bu konuda şöyle yazıyordu:

"Oysa, dünlerde İbo, Kürt "kılamları"nı Türkçe sözlerle söylediğinde, Cumhurbaşkanı Özal, büyülü sesinin ritmine uyup göbek atıyor, Türk halkı topluca kendinden geçiyor, konserlerine yüz binler akıyordu. İbo, Kürt şarkılarını Türkçe söyleyince Kürt değil, "Türk müziği icracı"sı oluyordu.

Aynı şarkıyı, özgün hali ve annesinin diliyle söyleyince, ırkçı histeri kapısına yığılıyor, "sahibinin sesi" medya Ahmet Kaya'ya yaptığı gibi linç sahneleri düzenliyordu..."

Aynı gazetenin haberine göre, İHD, yeni kardelen ve DEHAP'ın Tatlıses'e yönelik açıklamalarını kınayarak, şarkıcıya tam destek verdiklerini belirtiyordu.

Batman'da petrol sendikalarının iyi dost olduğunu ifade eden Apo, Ceylan Holding'in de bir çok yardım ve katkılarını gördüklerini ifade ediyordu.

Apo, eğitimci dostlarını da; örgütü yazılarıyla destekleyen Haluk Gerger ve Doğu Ergil olarak açıklıyordu.

Yeni Ülke, Özgür Gündem gibi gazetelerin ve en son görüştüğü Tayfun Talipoğlu'nun kendisine dost olduğunu, İtalya'da Talipoğlu'nun bu dostluğu kendisine söylediğini belirtiyordu.

Mehmet Ali Birand'ın yaklaşımlarını çok olumlu bulduğunu ifade eden uyuz it, Güneri Civaoğlu ile Ramazan Öztürk'ün yanına geldiğini belirtiyor, Cengiz Çandar, Güneri Civaoğlu, HADEP'ten aday olmak isteyen İsmet İmset ve Mehmet Ali Birand'ın 1993 sürecinde kendileriyle Türkiye arasında elçilik yaptıklarını söylüyordu...

Apo, İbrahim Tatlıses, ve Halis Toprak'ın dışındaki maddi destek sağladıkları isimleri de açıklıyordu: 1990'lı yıllarda Buldan'ların destekleri oldu. Urfa'lı İnci Baba'nın aldığı ihalelerden yüzde 3 vergi vermesi konusu vardı. Bunun alınıp alınmadığını bilmiyorum. Yüksekova'da Cihangir Ağa, Mardin'de Ahmet Türk ve Ailesi yardımda bulunuyordu. Ayrıca Lice'li Behçet Cantürk ve Ailesi, Ceylan Holding ve Rıza Septi isimli şahıslar da yardımlarda bulunuyorlardı.

Kanlı terör örgütü PKK'nın başındaki uyuz it, kuyruğunun

sıkıştığını gördüğü anlarda yılışık it gibi yalakalık dolu mektuplar da yazıyordu. Bu mektupların ilki Ankara 2 Nolu Devlet Güvenlik Mahkemesi Başkanlığına idi.

Apo, elle yazdığı 28.05.1999 tarihli mektubunda, bundan sonra Türkiye Cumhuriyetinin bütünlüğü için çalışacağını belirtiyor ve durumundan çok memnun olduğunu şu cümleleriyle ifade diyordu:

"Bununla birlikte şimdiye kadar yaşadığım İmralı sürecini biraz açmayı gerekli bulmaktayım. Gerek soruşturma komisyonunun gerek Ada Komutanlığı'nın yaklaşımı karşılıklı saygı içinde olmuştur. Cezaevi yönetimi için de bu geçerlidir..."

29.05.1999 tarihli mektubunda da kardeşlikten bahseden Apo, herkesi kardeşliğe çağırıyordu...

Yargılandığı İmralı'daki duruşmalarda Türkiye'de ayrı bir ulusun olmadığını vurgulayan Apo, "Savunmamı demokratik çözüm kapsamında yapacağım. Mahkeme Heyeti'ni kabul edip etmemek, ertelemek önemli değil. Uzatılsa ne olur, uzatılmasa ne olur?.. Bu işin özü önemlidir. Baskınla, zıtlıkla bir yere varılamaz. İyi bir jest, özel bir ilgi, yöntem bekliyorum. DGM'lerin yapısı, Avrupa'nın istekleri önemli değil." şeklinde açıklamalarda bulunuyordu.

APO'nun bu sözlerinden rahatsız olan avukatları müdahale etmeye başladılar. Avukatlardan Niyazi Bulgan; "Sanık manevi baskı altındadır, onun için böyle konuşuyor" diyordu.

PKK'nın başının mahkemeye gönderdiği mektuplardan utanan vekilleri ise bu kez yine aynı eli kanlı katilin Almanya'nın yönlendirmesiyle Abdullah Gül ve diğerlerine yazdığı mektuplarla pirim yapmaya çalışıyor, bu mektupları her yana dağıtıyorlardı. Bu mektuplardan biri de 3 kasım seçimlerinin ardından kurulan Hükümetin başına gönderiliyordu. Abdullah Gül bu mektubu geri göndermiyor, Apo'ya haddini bildirmiyordu. Kanlı katil Apo'nun mektuplarında Genel Af çıkarılması, Kürtçe'nin eğitim dili olması gibi talepleri bölümüne baktığımızda AKP'nin adeta talep gibi olan bu şartları aynı sırada yerine getirdiği görülüyordu. Şimdi bu mektubu satır satır okuyarak AKP'lilerin faaliyetlerini hatırlayalım:

Eli Kanlı, Ağzı Kanlı, Gözü Kanlı Kuduz İt'ten Abdullah Gül'e Mektup

"... T.C. 58. Hükümet Başbakanı Sayın Abdullah Gül'e;

Öncelikle şahsınızda AK Parti Hükümeti'nin ülkemize hayırlı olmasını diliyorum. Bu değerlendirmemi Türkiye'nin devlet ve toplum olarak içinden geçtiği tarihsel süreçte kilit rol oynamaya devam eden, adına ne denilirse denilsin Kürt olgusu ve ondan kaynaklanan sorunlar ve ana çözüm yolu konusunda sorumluluğumun bir gereği ve özgür bir yurttaş zihniyetiyle görüşlerimi bir kez daha ana çizgi halinde sunmayı görev bilmekteyim. Sayın Bülent Ecevit hükümeti döneminde geliştirdiğim mektuplarımın bir devamı olarak da değerlendirilmelidir.

Bu yönlü yaklaşımım sayın Cumhurbaşkanı Turgut Özal döneminde 1993 Mart ayında **Celal Talabani** aracılığıyla başladığını, sayın Necmettin Erbakan'ın Başbakanlığı döneminde bir Ortadoğu ülkesi aracılığıyla sürdürüldüğünü belirtmeliyim. Ayrıca İmralı'ya getirilmeden önce dolaylı da olsa ordu kaynaklı bilgilendirme temelinde ve 1998'de tek taraflı ateşkesle sonuçlanan yazışmalar da yürütülmüştür.

İmralı'daki soruşturmayı da bu sürecin bir devamı olarak değerlendirdiğimi belirmeliyim. Daha sonra gerek İmralı'daki DGM yargılaması, gerek AİHM'de yazıya döktüğüm savunmalar hangi çizgide yürüdüğümü ortaya koymaktadır. Ayrıca çözümleyici nitelikte Ada Güvenlik Komutanlığı kanalıyla bir düzineye yakın kapsamlı mektubu ilgili makamlara ulaşmak kaydıyla sunmuş bulunmaktayım.

Pratik olarak kişisel insiyatifimle başlattığım ateş-kes sürecini 16 Ağustos 1999'da "Demokratik Uzlaşı ve Barışa Çağrı" biçiminde tavrımı deklare edip ilan ettim. Örgütlenmelerin ve halkın bağlı kalmasıyla çatışma ortamı yerini nisbi bir sükuna bıraktı. Fakat bu bir barışa çözüm değildi. Sayın Bülent Ecevit Hükümeti'nin çelişkili yapısı nedeniyle her sorunda olduğu gibi Kürt sorunundan da çözümleyicilikten çok uzak toplumu çürütücü ve böylelikle sorunlara yaklaşım tarzı bilinen krizleri ve ardından adeta bir siyasi depreme ve Ak Parti'nin zaferiyle sonuçlanan gelişmelere yol açmıştır.

Bu kısa açıklamanın arkasındaki gelişmeleri bir kez daha dile getirmeyi önemli bulmaktayım. Birbiriyle bağlantılılık içesarisinde Türkiye sorunları içinde "Doğu veya Kürt sorunu" sanıldığından daha fazla kilitleyici konumda bulunmaktadır.

M. Kemal Atatürk'ün gerek ulusal kurtuluşta, gerek cumhuriyetin kuruluşunda stratejik bir öğe olarak gördüğü ve çok açıkça dile getirdiği Kürtlerin varlığı; özelliklede genç cumhuriyeti kendilerine bağlama ve Musul-Kerkük petrollerine sahip olmada bir koz olarak Kürt ağa, aşiret ve şeyhlerini kullanma tehdidini dayatan ve ardı sıra gelişen isyan süreci herşeyi tersine çevirmiş, emperyalizme karşı koyan bir tavrın çelişkisi ortamında Kürtler, dolayısıyla Cumhuriyet karşı karşıya gelinerek bilinen oyun günümüze kadar getirilmiştir. Bugün de devam eden "tavşana kaç tazıya tut" politikası acımasızca yürütülerek ve yaşanmak durumunda kalınmıştır.

Bu politikanın en temel sonucu Türkiye'nin Japonya benzeri bir hamle içine girmemesi, içte özgürlük ve demokrasisini geliştirememesi, sürekli sorunlar karşısında "ülkenin devleti ve milletiyle tehlikede olduğu" korkusu ve endişesi içerisinde köklü çözümlere yönelememesi olmuştur. Cumhuriyet ve demokrasimiz bir krizler, darbeler ortamından bir türlü kurtulamamıştır. En son gelinen aşama Osmanlı'nın son dönemini aşan dış ve iç borçlar, sürekli bunalım ve kriz, çözüm getiremeyen bir siyasal sistem ve iktidarları, suçu sistemde, cumhuriyet, laiklik ve demokraside değil temel sorunlara bilimsel ve cesaretli yaklaşamamakta aramak en doğrusudur. Son 57. Hükümet deneyimi aslında herşeyi özetlemektedir.

Sayın Başbakan'ın şahsında bu kör ve kısır döngünün görülmesinde ve çözümlenmesinde payımızı ortaya koymaya ve karşılıklı katkıda bulunmaya büyük özen gösterilmesi gereğine inanmaktayım.

PKK'nın 1970'lerin reel sosyalizm ve millici gelişmelerden etkilenerek ortaya çıktığı, dünya örneklerinden esinlenerek 15 Ağustos süreci biçiminde değerlendirdiğimiz gelişmelerle 1980'ler sonrasında aktif rol oynadığı, sonuçta hem devlet ve toplumda, hem de Kürt sorununda tüm tarafları zorlayan, büyük maddi-manevi kaosa yol açan çözümlenmemesi halinde daha da ağırlaşacağı kaçınılmaz bir ortama yol açıldığı bilinmektedir. Yaşanılan süreç böyle nitelenebilir.

Sayın Turgut Özal'ın bu durumu en iyi gören bir devlet yetkilisi olarak; yaklaşımlarının değerini her iki tarafın derinliğine takdir edememesi gerçekten ülkeye, devlete, topluma hepimize çok değer kaybettirmiştir. Vefat ettiğinde ailesine gönderdiğim baş sağlığı mesajında şunu söylemiştim: "Çözüm açık olduğunuz inisiyatif temelinde olabilir, ancak sizlerden sonra gelen hükümetler ve partileri çok kaybettikten sonra bunu anlayacaklardır. Gerçekten "10"a yakın hükümet ve partilerinin 3 Kasım da yaşadıkları deprem bu gözlemi doğrulamıştır.

58. Hükümetin anayasa, yasalardan başlayarak geliştirmek istediği özgürlükçü yaklaşım bununla bağlantılı AB'ye yönelik yaklaşım ve çabaları bizleri de önemle sorumlu kılmaya itmektedir. Sorunun payımıza düşen yanlarını gerçekçi görüp çözüme katkıda bulunmayı esas almamız gerektiğine dair inancımı halen korumaktayım. Tüm halkta olduğu gibi bizde de önceki hükümetlerin sorunları derinleştiren, erteleyen yaklaşımlarının doğduğu öfkeye kapılarak duygusal adımlara yönelmemeye önümüzdeki dönemde özen göstereceğimiz bilinmelidir.

Aynı biçimde "Kürt meselesi, PKK bitmiş, olanları yabancılar körüklemektedir" v.b. yaklaşımların da sorunu daha da ağırlaşmış bir ortama yol açtıracağı özenle görülmelidir. Aksi halde önceki parti ve hükümetlerin başına gelenlerin AK Parti ve Hükümeti'nin başına gelmesi de yüksek bir olasılıktır. Şüphesiz tutarlı yurttaşlar ve siyaset erbabı olarak çözümleyicilikten yana tavır almak siyaset ve etik olarak daha doğrudur.

Geçmişin yakın sürecine ilişkin değerlendirmelerim adı geçen savunma ve mektuplarda geçtiği için daha çok olası gelişmeler üzerinde düşüncelerimi belirtmeyi önemli bulmaktayım.

Şüphesiz geleceği belirleyen olanca ağırlığıyla geçmişte yaşanan temel olgulardır. Türk-Kürt ilişkileri tarihinde belirleyici evrelere baktığımızda stratejik, belirleyici bir ilişkinin uzlaşma yanı ağır basan bir biçimde işlediğini görmekteyiz. Anadolu'nun kapısını açan Malazgirt 1071 savaşında Sultan Alp Aslan kuvvetlerinin yarıya yakınını Silvan merkezli olarak Kürt beylikleri ve aşiretlerinden derlendiğini tüm tarihçiler hemfikirdir. İç içe yaşam bu tarihten sonra yoğunlaşarak devam etmiştir. Türkler siyasal ve askeri, Kürtler ekonomik ve sosyal alanda daha güçlü olarak bu ilişkileri değişik biçimlerde sürdürmüşlerdir. Sultan Selim'le birlikte 1514'de Çaldıran Zaferin'de de durum benzerdir. 23 Kürt beyliğiyle kurulan ittifak Safevilerin, (İran) Kölemenlerin (Arabistan) yenilgisinde stratejik rol oynamıştır.

Tarihi belgeler bu konuyu daha açık dile getirmektedirler. Üçüncü beşyüz yıldan sonra M. K. Atatürk'ün de Kürtleri değerlendirmesi stratejiktir. Sivas, Erzurum ve TBMM kongreleri buna tanıktır. Atatürk bu ilişkinin hayatiyetini birçok konuşma, emirlerinde vurgulamıştır. Sonuç ulusal kurtuluş ve cumhuriyetin kuruluş zaferleridir. İlişkilerin bozulduğu süreçlerinde tersi yönde kayıp dönemlerine yol açtığı benzer biçimde gözlemlenebilir. 1925 sonrası isyan, bastırma sürecinin yarar getirmediği, cumhuriyetin en temel ayak bağına yol açtığı azıcık ilgilenen herkesin bildiği bir gerçektir. Kürt sorunu tüm sorunların kaynağını teşkil edip adeta kilitleme rolü oynamaktadır. Cumhuriyetin temel hedefi olan çağdaş demokratik uygarlığa ulaşmanın önündeki engel konumu bugün de temelde bu rolün sürdüğünü göstermektedir. En son ve pratik kanıt AB'ye katılım sürecinde yaşananlardır. Bu durumun ertelenmeksizin aşılma gerçeği temel bir görev olarak gündemdeki yerini korumaktadır. Geçmişin bu kalın çizgisi önümüzde iki olasılığı, dolayısıyla gelişme trendini ortaya koymaktadır.

1- Çözüm olasılığı ve olası gelişmeler:

a- Türkiye'nin ağırlaşan demokratik siyaset sorunu işin özünü teşkil etmektedir. Başlangıçta cumhuriyetin kuruluş ve korunmasında Atatürk önderliğinde arzu edilmezse bile kendini dayatan otoriter yaklaşımın izah edilir yanları açıktır. İki dünya savaşı arasında temel görev cumhuriyetin otoriter korunma dönemidir. 1945'ler sonrası sınırlı demokratik gelişme ancak üst tabakada sınırlı demokratik gelişme ancak üst tabakada sınırlı bir demokratikleşmeye yol açmıştır. Bu süreç bile 27 Mayıs'la kesintiye yol açmaktan kurtulamamıştır. 1960-2000'lere kadar yoğun çatışma ve darbelerin eksik olmadığı, ağır borçlanmayla rant ekonomisine, yolsuzluklara derinliğine bulaşma biçiminde tutarlı bir demokratik siyasal yaşamanın yaşamasına fırsat vermeyen bir oligarşik durumun gelişmesinden kurtulunamamıştır. Demokratik siyasi yaşamın kalıcılığı temel görev olarak halen gündemin başında gelmektedir..."

Apo, mektubunun bu kısmında idam cezasının kaldırılmasını istiyordu. Bu mektuptan bir süre sonra idamın kaldırılması çalışmaları başlıyor, nihayet 14.07.2004 tarihinde Meclis kararıyla(!) idam cezası kaldırılıyor, bu karar 21.07.2004 tarihli Resmi Gazete'de yayınlanarak yürürlüğe giriyordu. Şimdi Apo'nun bu konuda Abdullah Gül'e yazdıklarını okuyalım:

"...Başbakanlığınızdaki AK Parti Hükümeti'nin programına özgürlükçü yasalarla birlikte yeni bir sivil anayasayı alması demokratik siyasal sisteme geçilmesine tarihi, dolayısıyla çözümleyici bir gelişmeye yol açabilir. ABD ve AB'nin dıştan desteğini dürüst davranırlarsa önemli katkıda bulunabilir. Şüphesiz 57. Hükümet döneminde budanarak da olsa anayasal ve yasal değişiklikler bu sürece önemli katkıda bulunmuştur. **Kürt sorununu yakınen ilgilendiren, idamın kalkması, yayın özgürlüğü ve eğitim hakkı çağdaş normlara göre yaşam bulursa çözüm yolunda en temel adımın atılması anlamına gelecektir.** Hükümetin uygulamada sağlayacağı gelişmeler belirleyici olacaktır. Kürt sorunu böylelikle ilk defa demokratik siyaset temelinde yavaş da olsa bir çözüm imkanına kavuşmuş bulunmaktadır. Dolayıyla isyancı ve diğer şiddet yollarının anlamı kalmamaktadır. Başlangıç halinde de olsa bu yönüyle tarihsel bir sürecin içine girdiğimiz açıktır. Sürecin bu yeni niteliğini değerlendirememek siyasi bir körlükten öteye gaflete düşmek demektir. 1970'ler Türkiye'sinde böylesi durumların esamesinin bile suç teşkil ettiği düşünülürse çözüm değeri daha iyi anlaşılır.

PKK de dahil birçok şiddete dayalı örgütsel yapıların ortaya çıkmasının dönüm itibarıyla anlamı olsa da günümüz için bu yönlü yapılanmaların anlamlı olamayacağı anlaşılır bir husustur.

b- Dolayısıyla PKK'nın çözüme katkı için KADEK biçiminde kendini reforme etmesi basit bir isim değişikliği olarak görülmemelidir. Bu değişimle klasik ayrılıkçı millici çizgiyi terk ediyor, meşru savunma dışında her türlü saldırı, şiddet yöntemini bırakıyor, çözüm yolunu "Ülkenin demokratik bütünlüğünde, Cumhuriyetin demokratik laik yapısında" arıyor.

Bu önemli bir düşünümdür ve gerçekçi değerlendirilmelidir. Unutmayalım, kendini böyle dönüştürmeyen başta Filistin hareketleri olmak üzere çok sayıda hareket ağır sorunlara yol açmakta çözüm şansını zora sokmaktadırlar. Şunu önemle belirteyim ki sadece Türkiye'yle sınırlı olmayan Kürt hareketlerine yönelik olarak geliştirmeye ağırlık verdiğim demokratik çözüm tarzı Kürt sorunu etrafında dünya ve bölge çapında birçok stratejik ve taktik çıkarlar açısından yaklaşım göstermek isteyen güçleri frenlemiştir. Kürt olgusundaki şiddet unsuru büyük tehlike olmaktan çıkarmıştır. Özellikle işbirlikçi bir Kürt devletçiğinin ikinci bir Filistin Trajedisi'ne dönüştürmesine fırsat vermemeye büyük çaba harcamıştır. Eğer PKK kontrollerinde ve eski yapısıyla sürseydi hem dıştan çok sayıda gücün, hem içte devleti çeteleştirme temelinde yönetme hevesinde olan güçlerin elinde Türkiye'yi İsrail'in ötesinde bir konuma getirebilirdi.

Büyük bir sorumlulukla 1998'den beri içine girilen süreç gerçekten bu vahim durumun aşılmasında önemli rol oynamıştır. Tabi ki ordunun adı geçen yaklaşımları bu sürece girilmesinde hayati bir önem arz etmiştir. Kuzey Irak'ta olası gelişmelere bu açıdan bakmak her zaman milliyetçiliği körükleyecek Kürt egemen tabakalarının sahte devletçi yaklaşımları yerine Ortadoğu çapında genel demokratik siyaset yaklaşımlarına öncelik tanımak tarihi bir anlam ve gerçek bir çözümleyici olanak sunmaktadır. Tüm halklar ve kültürler açısından demokratik siyaset kurumsallaşmaları tek olumlu seçenek durumundadır. PKK'deki dönüşümü eksiklikleri olsa da bu çerçevede değerlendirmek hem Türkiye, hem Kuzey Irak'ta kalıcı ve ülkemizin çıkarlarına en uygun yol olacağına büyük değer biçmekteyim..."

Eli kanlı katil, hükmettiği katil sürüsünün yasal kılıfa kavuşmasını istiyordu. Bir süre önce Doğru Yol Partisi Genel Başkan'ı Mehmet Ağar'ın "Düz ovada siyaset" teklifi ile benzerliği dikkat çekiyordu:

"...c- Nihai çözüm şüphesiz dağlardaki ve yurtdışında yasadışı kalmış güçlerin yasal süreç altına çekilmesidir. Sayın Bülent Ecevit geçen hükümet döneminde bazı af yasaları yoluyla adım atmak istediyse de özellikle MHP bu adıma fırsat tanımadı. Esas hükümet tıkanıklığı da buradan kaynaklandı. Tabi diğer yayın, eğitim ve özgürlükler yasalarındaki engellemesi de bilinen durumlarla sonuçlanmıştır.

Soruşturma sürecinde görüşlerine değer verdiğim yetkililer buna benzer yasaların olumlu sonuçlanmasından bahsediyorlardı. Şahsen bu yaklaşıma katkı olarak PKK güçlerini zorlu bir süreç sonunda Kuzey Irak ağırlıklı bir alana çekebildik.

Çok az güç içeride kaldı. Dışta epey düzenleme yapıldı. Bütün eylemler durduruldu. İki grup olumlu gelişmelere yol açmak için silahlarıyla birlikte yasal adımları bekliyorlardı. 2001'de süreç tamamlanmak isteniyordu. Ama siyasetini idama ve şiddette dayandıran MHP bu gelişmelerin sonunu getireceğinden duyduğu korkuyla olumlu yönde adım atılmasını asla ülkenin ve Türk Ulusu'nun çıkarlarıyla bağdaşmayan bilinen engellemelerini dayattı. Sonuçta Türkiye'ye de, hükümete de, kendilerine de pahalıya patlayan krizlere yol açtı. Seçim depremine uğramaktan kurtulamadı.

Tıkanmanın özünü bu biçimde belirlerken aynı zamanda hükümetinizin çözüme olası katkısını da gözler önüne getirmektedir. Demokratik siyaset açısından bunun bir parçası olarak özgürlükler, yayın ve eğitime ilişkin sadece tutarlı çağdaş uygulamalar yeterli olacaktır. Olumlu yaklaşımlarla bu yönlü sorunların çözümleneceğine inancımızı kurumaktayız. Halkımızda bölgedeki son seçimde anti-demokratik yasalardan kaynaklanan adil bir temsile imkan bulmazsa da kendi reyleriyle seçeneğini demokratik yasal iradesiyle ortaya koymuştur.

Çözüm için geriye kalan temel problem af yasalarında yerine getirilemeyen tutumdur. Benim daha öncede yetkililere yaptığım öneri şuydu, Ortamı da göz önüne getirerek: "Cumhuriyetin demokratik laik yapısına ve ülkenin demokratik bütünlüğüne gönüllü olarak katılma" hükmüne bağlı bir yasal düzenleme. İster af, ister şartlı indirme biçiminde olsun. Buna ısrarla "pişmanlık yasası" demek çözümsüzlük yaratmaktadır. Eğer hükümet bu yönlü adım atarsa aslında bölge halkının ve tüm Türkiye halkının büyük sorunu olan, hükümet ve devlete de muazzam nefes aldıracak, krizin aşılmasında ve demokratik siyasetin kalıcı kurumlaşmasında temel rol oynayan barış ve istikrar tarihi bir zafer kazanacaktır. Hiç kimsenin kaybetmediği, herkesin kazanacağı bu tarihi demokratik uzlaşma ve barış adımı şüphesiz Hükümetin de temel bir başarısı olacaktır. Bu konuda oynayabileceğim rolümü mektubun sonuç bölümünde de dile getireceğim.

2- Sorunun ağırlaşarak sürmesi ve olası gelişmeler:

a- Eğer çözüm yolunda beklenen gelişmeler olmazsa, özellikle Kuzey Irak'ta da her an doğabilecek hareketlenmeler gelişirse ne kadar arzu etmezsek de sorunu çok ağırlaştıracak gelişmelerin doğması ağır basan bir olasılıktır. Bir tehdit anlamında değil gerçekçi bir politikaya yol açması açısında belirtmek durumundayım. Önümüzdeki aylarda KADEK, güçlerinin önemli bir kısmını Türkiye sınırları dahiline çekmek durumunda kalacaktır. ABD müdahalesi bu süreci hızlandıracaktır. Güçlerini milislerle birlikte ağır donanımlı ve oldukça tecrübe kazanmış biçimde dağlarda üstlendirebilecek durumdadır. Geniş bir coğrafya da kısa bir sürede 10.000 civarına çıkabilecek bir güç olasılık dahilindedir. Meşru savunma anlayışına bağlı kalacakları kanısındayım. Eskisi gibi bir çeteleşmenin yaşanacağını tahmin etmiyorum. Savunma dışında şiddete sapılacağını da sanmıyorum. Ama bu kadar gücün çok sayıda gerginliğe yol açacağını, muazzam maddi-manevi kayıp potansiyeli taşıdığı açıktır.

b- Hedef olarak koruyucu sisteminden kaynaklanan her

türlü olumsuzluklar ve boşaltılan köylere demokratik tarzda dönüş esas alınacaktır. Devlet kurumlarına; kendilerine imha temelinde yönelinmedikçe saldırı pozisyonuna girmeyeceklerini esas alacakları kanısındayım. Dünyadaki bir çok örneğe bakıldığında bundan daha pozitif bir duruma girilmeyeceği açıktır. Ayrıca kontrol dışına çıkmaları da göz ardı edilemeyecek hususlardır. Nerden bakılırsa bakılsın bir çözümden ziyade bu durumun sorunları çok ağırlaştıracağı açıktır. Hiç yaşamamak en doğrusudur.

c- Bu süreci besleyecek iç ve dış dinamikler fazlasıyla mevcuttur. Komşu ülkelerin durumu bilinmektedir. Hele Türkiye Irak'a girse birçok güç yatırım yapacaktır. Şimdiden güçleri sıkıştırdıkları gelen haberler arasıdadır. Ayrı örgütlenmeler doğabilir, Bu yönlü dayatmalar daha da hızlanabilir. Özcesi içte de muazzam işsizlik, af süreci daha da körükleyebilir. Çatışma potansiyellerinin içte ve dışta eskiyi aratmayacak boyutta olduğu kolaylıkla tahmin edilebilir. Bu yönlü gelişmelerin herkese kaybettireceği açıktır. Filistin'de yaşanan benzer bir trajedinin bir kez daha yaşanmaması doğru siyaset ve etiğin gereğidir. Ülkenin, devletin ve toplumun hayati çıkarları gereğidir.

Yaşanılan süreçte kişisel rolümü doğru değerlendirilmesi ve oynanması önemini korumaktadır. Bunun derin bilinci ve sorumluluğuyla çok zor koşullar altında da olsa yaşama doğru değer biçmeye sürekli özen gösteriyorum. En azından konumuma yasa ve yönetmeliklerin adilce uygulanması gerektiği kanısındayım. Fakat sağlığım ne kadar zorlansa da daha önemli gördüğüm hususlar siyasal-toplumsal alana ilişkin görev anlayışı ve gerekleridir.

Geçmişe ilişkin kapsamlı eleştiri-özeleştiriden çıkardığım temel ders; tüm sorunların en çağdaş ve doğru yolunun "demokratik uygarlık" sistemi içinde aranması ve çözümlenmesidir. Dolayısıyla sürekli uğraşım olan Kürt olgusu ve sorununda Türk-Kürt ilişkilerine demokratik siyasi yaklaşımı uygulamak esas olacaktır. Yaklaşış 200 yıldır uygulanan milliyetçi yaklaşımlar başlangıçta ilerici rol oynamışsa da giderek çağdaş etnik savaşlara dönüşmesi sorunları ağırlaştıran bir etken haline gelmiştir. Filistin-İsrail örneği bu gerçeği çok iyi kanıtlamaktadır. Olası bir Kürt egemen sınıf devletçiliği Ortadoğu'da her tür çatışmaya ortam hazırlayacak bir olgu olmaya adaydır. Yakın geçmiş bu gerçeği daha da doğrulamaktadır. Kürt sorununu temel bir demokrasi sorunu olarak görmek milliyetçi-ayrılıkçı tezlere zemin kılmamak, mevcut siyasi sınırları esas alan bir çözümde ısrarlı olmak Ortadoğu çapında demokratik gelişmeler için en büyük kazanımlardan biri olacaktır. En ileri demokratik deneyime bölgede sahip olan Türkiye bu temel çözüme öncülük ederse, tıpkı 1920'lerin ulusal kurtuluşunda oynadığı tarihsel rolden birini daha oynayacaktır. Iraktaki gelişmelere bu perspektifle yaklaşıldığında en temel bir tehdit en temel bir kazanıma dönüşebilecektir. Rolümü ağırlıklı olarak 5 yıldır bu temelde oynamaya çalıştım. Ortaya çıkan gelişmelerde bu tavır gerçekçi değerlendirilmelidir.

Bundan sonra Türkiye için şüphesiz (1) madde çözümünü doğru buluyor ve bekleneni yapmaya çalışacağımı belirtmekle birlikte insiyatifin hükümetten gelmesi tabidir. Önceki hükümetin yaşadığı çelişkiden ötürü nasıl çürümeye yol açtığı göz önüne getirildiğinde 58. hükümetin benzer duruma düşmemesi için ivedi tavırla çözüme yaklaşması hayati bir öneme haizdir. Aksi halde son yılların hükümetleri konumuna düşmesi kaçınılmaz olacaktır.

Sorunu daha da ağırlaştıracak (2) seçeneğe yol açılmaması da gösterilecek tavra bağlıdır. Bu durumda 15 Ağustos sonrası duruma düşülmemesi için meşru savunmayı aşan durumlara fırsat verilmemesi için pozitif rol oynamaya çalışılacaktır. Ama yine de sorunda kilitlenme, ağır maddi-manevi kayıplar, ne kadar arzulanmasa da kaçınılmazdır.

Halbuki köklü çözüm; Türkiye için en sağlıklı birliği ülke ve toplum için "Demokratik bütünlükte" bulan yeni bir dönem; aynı zamanda içte kalıcı barış ve istikrarla muazzam bir kalkınma, dışta ise Ortadoğu, Balkanlar, Kafkaslar, Orta Asya'da önderlik ve AB'de güçlü hızlı bir üyelik anlamına gelecektir.

Bunun için Hükümetinizin yeniden diyaloga kapıyı açması, çözüm yolunda eksik kalan adımları atması tarihi bir olaya sahiptir. Bu imkanın değerlendirilmesinin de bir vebal olarak gördüğüm için 58. hükümeti bilgilendirmeyi bir yurttaşlık görevi bildim. Takdir şüphesiz makamınızın olacaktır.

Bir kez daha 58. hükümetin ülkemize hayırlı ve başarılı olmasını dilerken, kendi zaviyemizden bu gerçekleri saygıyla arz ediyorum. 30.11.2002

PKK- KADEK ve AKP

3 Kasım 2002 tarihinde yapılan genel seçimler sonucunda yaklaşık yüzde 34 küsur oyla AKP'li Abdullah Gül, 58. Hükümetin Başbakanı oluyordu. AKP' ye oy veren işçi, memur, köylü, kendi sorunlarına ilgilenileceğini, ekmek kuyruklarının biteceğini, emekli maaşı işkencesinin sona ereceğini, sigorta ve devlet hastanelerinde rehine kalma ve eziyetlerin kalkacağını umut ediyor, AKP'lilerin vaatlerini tutacaklarını umuyorlardı.

APO'dan mektuplar alan ve Apo'nun dileklerinin çözümü için uğraşan, Başbakan Gül, kendilerine oy veren insanlara gideceği yerde önce PKK ile bağlantılarının kanıtlandığı Apo'dan aldıkları talimatlarla hareket ettikleri kesinleşen Leyla Zana ve arkadaşlarının hapisten kurtulması için mücadele veriyor onların yeniden yargılanmalarını sağlıyordu. Abdullah Gül, tutuklu yargılamanın Türkiye'ye zarar verdiğini öne sürüyor ve "Biz üzerimize düşeni yaptık. Sıra yargıda" diyordu. Gül, oy aldıkları seçmenlerini unutup 19 Kasım 2002 tarihinde Milliyet Gazetesi'ne gidiyor, "Bush reformcu yanımızı kutladı" diyor, halkın düşüncesini ise bir dahaki seçime kadar unutuyordu.

Bush'dan aldığı moralle, hız kesmeyen **Başbakan Gül**, bu kez de gidip 22 Kasım 2002 tarihinde **Alman Die Welt** Gazetesi'ne demeç veriyor, bu demeci hükümet programının okunduğu gün şu şekilde yayınlanıyordu:

"Türkiye'nin hedefi çok açıktır: AB üyesi olmak... Bunun ülkemizde demokrasinin ve ekonominin düzelmesini sağlayacağını ummaktayız. Buna karşılık biz de AB'ye tam üye olarak kabul edilecek Türk Devletinin, saydam, **Demokratik bir İslam Devleti** olacağını taahhüt ediyoruz..."

28 Kasım 1995 tarihli Posta Gazetesi "Ürperten İtiraf" manşetiyle Refah Partisi Genel Başkan Yardımcısı Abdullah Gül'ün, **"Cumhuriyet döneminin artık sonu geldi. Kesinlikle Laik sistemi değiştirmek istiyoruz"** şeklindeki sözlerine yer veriyordu.

Abdullah Gül, Başbakan oldu ya başladı medya medya dolaşmaya, 25 Kasım 2002 tarihinde Yeni Şafak Gazetesi'ndeydi. Gül, burada "yasakların anayasa paketi ile kalkacağını" anlatıyor, şöyle diyordu:

"...Bakın bizim en önemli özelliğimiz şeffaflık, dolayısıyla halk bizi monitere edecek, izleyecek. Sivil toplum kuruluşları, medya, muhalefet, meclis dışı muhalefet hepsi izleyecek. Biz bunların gözü önünde adım adım sözlerimizi yerine getireceğiz...

AB için iki kriter var. Biri Kopenhag siyasi kriterleri, diğeri Maastrich ekonomik kriterleri. Kopenhag kriterleri ölçülebilir şeyler değildir. Bunu çok farklı yorumlayabilirler. Ama, Türkiye eksikliklerine rağmen Kopenhag kriterlerini karşılamıştır. Şimdi bizim hükümetimizin de çalışmaları var. Bunlar da tamamlandıktan sonra Avrupalıların söyleyeceği hiçbir şey kalmayacaktır...."

23 Kasım 2002 tarihinde Başbakan Gül tarafından açıklanan hükümet programında önce anayasanın 36. maddesi-

nin, ardından tümünün değiştirileceği vurgulanıyor. değiştirilecek maddeler de, apartman kiliselerine serbestlik getirileceği, azınlık vakıfları ve cemaatlerine her türlü kolaylığın sağlanması yanında mülk edinme serbestisinin de verileceği görülüyordu. Yine bu değiştirilecek maddelerin, 30 bin kişinin katili ve bir o kadar insanımızın da sakat kalmasının sorumlusu APO, Leyla Zana, DEP'liler ve PKK'lılara bayram yaptıracağı ortaya çıkıyordu.

AKP'lilerin hazırladığı "uyum paketi"yle aralarında PKK'yı simgeleyen sarı kırmızı ve yeşil renklerle Meclis'te Kürtçe yemin etmeye kalkan Leyla Zana ve eski DEP'lilere yeniden yargılanma ve serbest kalma yolu imkanı sağlanırken, terörist başı Abdullah Öcalan'a da AİHM'nin vereceği karara göre yeniden yargılanma yolu açılıyordu.

AKP'nin bu uygulamaları bazıları için sürpriz olurken, geçmişlerini şöyle tekrar bir hatırlayanlar içinse beklenen bir olaydı. 1993 yılının hac mevsiminde Mekke'de kapalı bir odada düzenlenen toplantıya bugünün devlet bakanı Abdüllatif Şener, İran İslam devrimini öven ve "bu coğrafyada biz de varız diyoruz" şeklindeki iddialarıyla katılıyor, Türk adıyla anılmaktan haya duyuyorum diyen Bayındırlık Bakanı Zeki Ergezen, analara yaptığı çağrı ile evlatlarını PKK olaylarında değil İslam davası yolunda ölmeleri için yetiştirmelerini söylüyor, laikliği kovma duaları yaptırıyordu. Aynı Zeki Ergezen 23 Nisan 2003 tarihindeki törenleri sakız çiğneyerek izliyordu.

Zeki Ergezen, Mekke'de HEP milletvekilleriyle birlikte gerçekleştirdikleri toplantıda yaptığı konuşmada; "Onların istihbaratlarından uzak olduğumuz için konuştuğumuzu sanmayın biz her yerde böyle konuşuyoruz" diyordu.

Mekke'de HEP ve DEP'lilerle başlayan flört, Refah Partisi'nin bayraklarının köşesine de yansıyor, basında yer alan fotoğraflarda Refah'ın bayraklarının köşelerine yapıştırılan ve doğuda dağıtılan bayraklarda sarı, kırmızı ve yeşil renkli çaputlar görülüyordu.

DEP'lilere Gizli Ziyaret

18 Ocak 2004 tarihli Hürriyet Gazetesi'nin haberinde AKP milletvekillerinin cezaevindeki DEP'lilerle gizli gizli görüştükleri de ortaya çıkıyordu. AKP ve DEP gizli ilişkisi gazetede şöyle yer alıyordu.

"Başbakan Tayyip Erdoğan ile AB Komisyonu Başkanı Romano Prodi arasındaki görüşmede, AKP'li TBMM İnsan Hakları Komisyonu Başkanı Mehmet Elkatmış'ın cezaevindeki DEP'lilere yaptığı gizli ziyaret ortaya çıktı. Erdoğan; 'Düşünce suçundan ötürü hala cezaevinde olmaları bizi üzüyor" diyerek DEP'lilerin durumunu dile getiren Prodi'ye, Elkatmış'ın cezaevindeki DEP'lileri ziyaret ettiğini anlattı. Erdoğan, Elkatmış'ın, DEP'lilerin DGM'deki duruşmalarını takip ettiğini de söyledi.

Elkatmış da, DEP'lileri 1,5 ay kadar önce ziyaret ettiğini söyledi. Ziyaretin ramazana rastladığını, **Selim Sadak**'ın da kendisi gibi oruçlu olduğunu belirten **Elkatmış, bir sıkıntı yada ihtiyaçlarının olup olmadığını sorup sohbet ettik** dedi. **Elkat-**

mış'ın verdiği bilgiye göre, **Leyla Zana** ve arkadaşları oruçlu **Sadak**'a, **O hacıdır, oruç tutuyor. Tuttuğu için de gece uyumaz gündüz uyur** diye takıldılar. **Elkatmış** da, **Sadak** la birlikte hacca gittiklerini söyledi.

13 Mayıs 2003 tarihinde **Yeni Şafak** Gazetesi'nde **"Pişmanlık yasası yolda"** başlıklı haberde; Adalet Bakanı Cemil Çiçek'in, İçişleri Bakanlığı'nın hazırlıklarını sürdürdüğü 'Pişmanlık Yasası'nın beklenenleri karşılayacağını söylediği ve bu yasanın diğerlerinden farklı olacağını iddia ettiği yer alıyordu.

Amerika'nın büyütüp beslediği ve Kuzey Irak'ta bulunan yaklaşık 3 bin PKK'lıya, **göz kırparak, "Ya silahları bırakıp Irak vatandaşı olun, ya da Irak'ı terk edin"** demesinin ardından danışıklı dövüş başlıyor, İçişleri Bakanı Abdülkadir Aksu ve AKP'liler hemen kolları sıvayarak, bu eli kanlı PKK militanlarını kurtarmak için sözde pişmanlık yasası hazırlamaya girişiyorlardı.

Yasa ile ilgili açıklamalar yapan Cemil Çiçek'e, gazeteciler "Bu yasanın Abdullah Öcalan'ı da kapsaması yönünde hazırlandığı söyleniyor" şeklinde soru soruyorlar, Bakan Çiçek de bu soruya kaçamak olarak **"bu bir sondaj sorudur"** cevabını veriyor ve yasanın niçin hazırlandığına da ışık tutuyordu.

5 Trilyonluk Mahkum

Akşam Gazetesi'nin 19 Mayıs 2003 tarihli, nüshasında AKP'li Adalet Bakanlığı'nın, İmralı Adası'nda tatil yapan pardon tutuklu olan terör örgütü PKK-KADEK'in eli kanlı lideri

Abdullah Öcalan için harcanan trilyonlar yetmiyormuş gibi, 5 trilyon daha ek ödenek istediği yer alıyordu.

Amerikan gazetelerine yazı yazarak adeta, **"Biz ettik, siz etmeyin"** diyen ve kendini bilmez densiz Amerikalıların Türk Silahlı Kuvvetleri'ne de dil uzatarak kendilerinden özür dilenip, pişmanlık gösterisinde bulunmamızı isteme cüreti veren Tayyip, daha önce yani, Fransa'nın Madamı Daniella Mitterand başkanlığında Heinrich Böll arşivi yöneticisi Victor Böll ve Türkiye'nin doğusunda Kürt Devleti kurmak isteyen bir kısım dernek yöneticilerinin **"Kürtçe eğitim yapılsın"** kampanyasını başlattığı sırada, söylediklerini bir kere daha hatırlayalım.

"Irak'tan ve **Kürdistan**'dan aldığımız bilgiler bizleri memnun etmiştir"

Zenginler Kulübü

Gül, RP milletvekiliyken TBMM'de AB ile ilgili yaptığı bir konuşmada ise Avrupa Birliği ile ilgili olarak, "Değerli arkadaşlar, AB Hıristiyan kulübüdür. Türkiye'yi hiçbir zaman içine almayacaktır. Bizi zenginler köşkünün bahçesindeki kulübeye koyacaklar" demişti.

Gül, 11 Mart 1996'da TBMM'de yaptığı bir konuşmada ise İsrail ile ilgili olarak "Müslümanların hakim olduğu bu bölgede, İsrail, yabancı bir güç ve kültür olarak, uluslar arası destekle bölgeye yerleştirilmiştir; işgalci ve yayılmacı bir devlettir. İsrail, bugünkü konumuna gelmek için, yakın geçmişinde, terör dahil her türlü aracı kullanmış bir ülkedir" görüşünü dile getirmişti.

ABD'de basılan kitap

Milli Görüş'ün kurmaylarından Şevket Kazan, Abdullah Gül'ün kendi adına kitap bastırdığını, Refah Partisi için bir şey yapmayıp kendisi için çalıştığını anlatıyordu. Kazan, Gül'ün danışmanı Faruk Mercan'ın ABD ile sürekli fakslaştığını da söylüyor, şunları anlatıyordu:

"Hani 'kadından al haberi' diye bir söz vardır. Bu sözü biz erkekler kulak arkası ederiz, ama gerçektir... Ta 1992 yılından beri Meclis lojmanlarında hanımlar arasındaki toplantılarda Abdulah Gül Beyin hanımı, 'Benim kocam genel başkan olmaya layıktır. Herşeyi Abdullah Gül yapıyor..." diye konuşmaya başlamış. Hanımlarımız da bu konuşmaları bize nakletmişlerdi, hatta bize 'Dikkat edin!' demişlerdi. Biz de gülüp geçmiştik...

Abdullah Gül hiçbir zaman Refah Partisi için çalışmadı. Hep kendisi için çalıştı. Erbakan Hoca, Abdullah Gül'e Politik Araştırma Merkezi diye bir merkez kurdurmuştu. Dış ilişkilerden sorumluydu ya, Refah Partisi'ni Avrupa'ya, elçiliklere tanıtacağı yerde, sadece kendisini tanıttı.

Danışmanı olan Murat Mercan ki, aynı zamanda Melih Gökçek'in de danışmanıydı, Amerika'ya boyuna fakslar gönderiyormuş. Oradan da fakslar geliyormuş. Sekreteri de bir hanım kız... Bu hanım kızın annesi de benim hanımın arkadaşı. Annesine anlatmış, 'Böyle böyle, bunlar devamlı Amerika'yla fakslaşıyorlar, hep Abdullah Gül'ün propagandasını yapıyorlar' demiş. Hanım da bana söyledi. Ben de 'Belki yanlış tespit etmiştir. Öyle bir şey varsa, bir gün o fakslardan bir tanesinin fotokopisini alsın, sana getirsin, ben de göreyim' dedim. Kızı yakalıyorlar ve işine son veriyorlar. Şimdi, Amerika'da kendisini tanıtan bir kitap bastırmış...

Melih Akbaş, Kanal 7'nin Frankfurt muhabiriydi. Allah rahmet eylesin, vefat etti biliyorsunuz. Frankfurt'tan, Avrupa Parlamentosu'ndan, Avrupa Konseyi'nden programlar yapardı. Refah Partisi kapatıldıktan sonra, Hoca Abdullah Gül'ü görevlendirdi. 'Gideceksiniz gümbür gümbür öteceksiniz, şunu, şunu, şunu söyleyeceksiniz' dedi.

Aynı gün ben de Malik'le Zürich'te, Avrupa İnsan Hakları Komisyon Başkanı Treshel ile görüşmeye gidiyordum. Zürich'in bir kasabasından, Zürich'e dönüyoruz, arabadayız... Malik'in telefonu çaldı. Malik'in acayip uzun bir telefonu vardı, açtığı zaman ses aynen duyuluyordu. Kanal 7'nin Frankfurt'taki yayın arabası, Strasbourg'a gitmiş. Abdullah Gül'ün konuşmasını canlı yayında vereceklermiş. Abdullah Gül orada bir basın toplantısı yapacakmış, bunu da yayınlayacaklarmış. Saat 16 olmuş, çocukta ağlıyor, 'Ağabey, şu saate kadar hiçbir şey yapmadı bunlar. Kürsüde konuşması vardı, otelde uyumuş. Danimarkalı bir delegeye, 'Konuşmayı sen yap' demiş. Basın toplantısı da yapmıyorlar, şimdi kafeteryada oturuyorlar' diyor.

O zaman Malik telefonu kapattı 'Ah ağabey, nereden buldunuz bunu? Bu, Avrupa Parlamentosu'nda Refah Partisi için hiçbir şey yapmıyor, işte bir tanesi daha ortada... Şu hale bak, Hocamın talimatı üzerine biz de arabayı canlı yayın için göndermiştik' dedi. O sırada telefon çaldı tekrar, arayan Hoca'ydı.

Bana verilen görevle ilgili bilgileri aktardıktan sonra, bu durumu anlattım. Hoca'nın ne hale geldiğini biliyorum, Hoca'yı o kadar iyi tanırım ki...

20 dakika geçti geçmedi, tekrar o muhabir çocuk aradı 'Ne oldu bilmiyorum, oturdukları kafeteryadan kalktılar, şimdi basın toplantısı yapacaklarmış... Ama bu saatten sonra hiçbir ajansa yetişmez ki' dedi."

Şevket Kazan, Abdullah Gül'ün Amerikan Büyükelçiliklerinden hiç çıkmadığını anlatarak, bilmiyorum orada ne vardı diyor, konuşmasını şöyle sürdürüyordu:

"Avrupa İnsan Hakları Mahkemesi'ndeki Refah davası için Strasbourg'a gittiğimde, Refah Partisi'nin hiç tanınmadığını gördüm. Abdullah Gül, 1991 yılından beri hem Avrupa Parlamentosu'ndaki üyemizdi, hem Dış İlişkilerden Sorumlu Genel Başkan Yardımcımızdı. Acı, ama gerçek o ki, Refah Partisi'ni tanıtan hiçbir şey yapmamıştır. Parti kapatıldıktan sonra bu acı tabloyla karşılaştık. Biz oraya gittiğimiz zaman, Refah Partisi'nin çok iyi tanıtıldığını zannediyorduk. 'Bunlar nasıl öbür partilerin davasında Türkiye'yi mahkum ettilerse, burada da mahkum edecekler' diye düşünüyorduk. Davayı neticelendirebilmek için göbeğimiz çatladı. Öbür davalar üç senede bitti, biz dört, dört buçuk senedir hala uğraşıp duruyoruz.

Refah Partisi tanıtılsaydı, bunlar olur muydu? Sadece kendi kulvarlarını genişletmişlerdir. Üzücü bir nokta, çok üzücü bir nokta... Ne kadar haklıymış Malik... Refahyol Hükümeti'nde, Türki Cumhuriyetlerden sorumlu Devlet Bakanlığı'nı biz almıştık. Türki Cumhuriyetlerine bir tek seyahat yapmıştır o kadar...

Adamın aklı, fikri Amerika'daydı. Bir de Amerikan Elçiliği'nde ne vardı, bilmiyorum; oradan hiç çıkmazdı!"

Şevket Kazan, Murat Mercan'ın Abdullah Gül'ün danışmanı olduğunu söylüyordu. Murat Mercan sürekli olarak Gül'ün yanında yer almış, AKP iktidarı ile birlikte Genel Başkan Yardımcılığına getirilmişti. Tayyip Erdoğan "Patlak Ampul" adlı kitabımın çıkmasının ardından bana 50 milyarlık tazminat davası açıyor, Onu 10 milyarla Cüneyt Zapsu izliyor, kitabın toplatılma talebi ile de dava açanlar arasına Mehmet Fatih Saraç da katılıyordu.

AKP'liler davaları kaybedince, Washington'da Bush yönetimine yakın American Enterprise Enstitüsü'nde CIA Ortadoğu Masası Şefi Rıchard Perle ve diğer elemanları ile düzenledikleri panelde benim; "Patlak Ampul, Hilafet Ordusundan Arap Kürt Partisi'ne, AKPapa'NIN Temel İçgüdüsü" adlı kitaplarımla, Mehmet Bölük'ün "El Tayyip" adlı kitabını şikayet ediyordu.

Murat Mercan, Washington'da Musevi dernek ve yöneticileri ile görüştüğünü belirtiyor ve AKP'nin Musevilere en yakın parti olduğunu söylüyordu.

Murat Mercan burada düzenlediği basın toplantısında AKP Milletvekili Elkatmış'ın Felluce'deki Amerikan saldırısını soykırım olarak tanımlamasını ise "Talihsiz bir açıklama" olarak görüyorum" diyordu. Mercan sözlerine şöyle devam ediyordu:

"Daha sonra sözlerini düzeltmiştir. Bazı kelimeleri kullanırken hepimizin dikkatli olmasında fayda var. Bir soykırım kelimesini kullanmak maksadı aşan bir şeydir"

Mercan, Bu konudaki yanlış anlamaları ortadan kaldırmak için TBMM Başkanı Bülent Arınç'ın ABD'yi ziyaret edeceğini bildiriyor, uygun ortamlarda uygun açıklamalarda bulunacağını söylüyordu. Türkiye'de dine ve ırka dayalı milliyetçiliğe karşı olduklarını vurgulayan Mercan, Tayyip Erdoğan'ın da kızının mezuniyetini bahane ederek ABD'ye geleceğini anlatıyordu.

Gül'ün danışmanı ve ABD'den ithal ettiği Murat Mercan, AKP kurulana kadar sakallı ve takkeli olarak geziyor, daha ilkokul seviyesine gelmeyen oğluna da takke giydiriyordu. Murat Mercan'ın eşi İnci Mercan Florida Üniversitesi'nden mezun olurken Türban üzerine kep giyiyor, ABD'nin ABC televizyonuna demeç veriyor,"Amerika'da hissettiğim özgürlüğü kendi ülkemde hissedemiyorum" diyordu.

Murat Mercan eşi ile çıktığı ABC televizyonunda 27 Mayıs 2002 yılında yayınlanan "Nightline" adlı programda türban ve dini konularda Türkiye'de baskı yapıldığını söylüyordu.

Yoldan Nasıl Çıktılar

Gazeteci Yavuz Selim'in "Milli Görüş Hareketindeki Ayrışmaların Perde Arkası Yol Ayrımı" kitabında ilginç bilgiler de yer alıyordu:

Mehmet Bekaroğlu, Milli Görüş'ün bölüneceği ile ilgili bilgilerin basında yer aldığını şu sözleri ile açıklıyordu:

"Daha Refah Partisi kapanmadan Talat Halman ve Fazilet Partisi kapanmadan da Güneri Civaoğlu, Milliyet gazetelerinde yazdıkları makalelerinde, Milli Görüş Partilerinin kapatılmasının yetmeyeceğini, mutlaka bölünmesi gerektiğini söylediler; hatta nasıl bölüneceğini de ifade ettiler. Güneri Civaoğlu, 24 Eylül 1998 tarihli yazısında, bölünme konusunda Sayın Erdoğan'a bir misyon da yüklemektedir. Nitekim gelişmeler bu doğrultuda oldu. Bölünme, öngörüldüğü gibi bir proje olarak adım adım gerçekleşti.

SP Genel Başkanı Recai Kutan Gül'ün elçiliklerle olan ilişkileri hakkında şunları anlatıyordu:

"Abdullah Gül, Fazilet Partisi döneminde Dış İlişkilerden Sorumlu Genel Başkan Yardımcısıydı. Dolayısıyla, özellikle dış ülkelerin temsilcilikleriyle, elçilikleriyle en yakın ilişkide olan bir arkadaş idi. Sonradan aldığımız intiba o ki, Abdullah Gül'e karşı özel bir ilgileri ve sempatileri varmış. Bunu daha sonraları çeşitli vesilelerle gördük. Bizimle beraber çalıştığı dönemde bu durumdan herhangi bir gocunmamız da olmamıştır. Fakat sonradan Amerikalı makamların, "Acaba hangi isim bizimle iyi uzlaşma halinde olabilir" diye özellikle seçim yaptıklarını ve Abdullah Gül'e özel bir ilgi gösterdiklerini hissettik..."

Recai Kutan anlatımını şöyle sürdürüyordu:

"AKP'deki arkadaşlarımız, teslimiyetçi bir anlayış içerisindedirler. IMF'cilerle, Dünya Bankası ile ilişki içinde olmak ayrı bir şeydir, onların telkinlerine ve empozelerine açık olmak ayrı şeydir..."

Abdullah Bey'in İstekli Olduğunu Biliyordum

Yavuz Selim'in "Yol Ayrımı" adlı kitabında Genel Başkanlık için Abdullah Gül'ün istekli olduğunu söyleyen isim Bülent Arınç oluyordu:

"Bülent Arınç (AKP): Kongrelerin yapılması lazımdı. İl kongrelerinin delegeleri, bizzat Ankara'dan tespit edilmeye başlandı. Ama biz bütün bunları hiç önemsemedik. Çünkü biz tabanımızı, teşkilatımızı tanıyorduk. Onların da bu fikirlere ne kadar yakın olduklarını, bu fikirleri ne kadar desteklediklerini biliyorduk. Delegeleri kim tespit ederse etsin, onlara "Biz böyle bir yönetim, böyle bir siyaset istiyoruz. Kararınızı kendiniz verin" diyecektik. Kongreleri ertelediler. İki buçuk sene sonra yapıldı bizim kongremiz. "Olsun" dedik. Kongre ne zaman olacaksa, olacak. Tabii ben aynı zamanda Grup Başkan Vekiliydim. Bazı şikayetler başladı. Hem Grup Başkan Vekiliymişim, hem de Recai Kutan'a karşı adaymışım!... Ben bunları Recai Bey'e de söyledim.

"Efendim, benim görevimde bir aksaklık var mı?" "Hayır" dedi, " Sen görevini güzel yapıyorsun." "Peki, bu sözler nereden çıkıyor?" dedim. "Bana karşı aday olman doğru karşılanmıyor" dedi. "Ama Genel Başkan Yardımcılarımız da sizinle birlikte. Onlar da sizinle birlikte hareket ediyor. Bu durum onlar için ne kadar doğruysa, benim için de o kadar doğrudur. Ama isterseniz görevimden ayrılayım, adaylığımı size karşı böyle sürdüreyim" dedim. "Hayır, sen görevini güzel yapıyorsun" dedi. Daha sonra da ben taviz vermeyince bu konuyu konuşmadılar. Ama ben tabii bir genel başkan adayı olarak kongreye giderken, Meclis çalışmalarını da aksatmamak istiyordum. Bu arada Anadolu'yu da dolaşmak gerekiyordu. İllere gidip projelerimizi, düşüncelerimizi meşru zeminde, partimizin içinde anlatmamız gerekiyordu.

Abdullah Bey ve diğer arkadaşlar gitmeye başladılar. Ben gidemiyordum. Bir de tabii parti içerisindeki arkadaşlarımızı motive etmemiz gerekliydi. Bir genel başkan adayının artık süratle belirlenmesinin ihtiyaç olduğunu gördüm. Çünkü biz aralık, ocak derken kongreye dört ay kalmıştı. Arkadaşlara, "Grup Başkan Vekilliğinden ayrılayım, Anadolu'yu dolaşayım ve kongreye yönelik propaganda yapayım. Teşkilat beni tanır, sever; anlattıklarımı dinler" dedim. "Hayır" dediler, "Grup Başkan Vekilliğinden ayrılma. Burada sesimiz oluyorsun. Televizyona sen çıkıyorsun. Meclis'te sen varsın. O tarafı da ihmal etme". "Olmaz ki, ben Mecliste mi olacağım, Antep'te mi olacağım?" dedim. "Götürebildiğin kadar götür" dediler.

Bu arada başka adayların da çıkmasını, bunun bir yarışa dönüşmesini istiyordum. Başka adaylar da çıkarsa, kendi aramızda istişareyle karar verirdik. Ancak, benim dışımda da kimse aday olmuyordu. Abdullah Bey'in de böyle bir şeyi düşünebileceğini hissediyordum. Başka aday var mı, diye de deşiyordum. Birilerinin daha çıkmasını, bu yarışı daha güçlü bir şekilde yapılmasını istiyordum. Sonunda bu işin Abdullah Gül ile benim aramda olacağını gördüm. Abdullah Bey bana Allah için, "Ben aday olacağım" demedi. Ama benim hissettiğim, çevresinden edindiğim intiba, üzerinde anlaşılırsa adaylığı da kabul edebileceği yönünde. Ben kendi istişarelerimi yaptım ve bir gün kendisini davet ettim. Dedim ki, "Bak, kongreye çok yaklaştık. Benim şartlarım bunlardır. Senin imkanların bunlardır. Ben senin lehine adaylıktan çekiliyorum. Bu görevi yapacak mısın?" Çok mütehassıs oldu. Gözleri yaşardı. "Benim bunu sana yapmam lazımdı. Ben de sana böyle diyecektim. Sen Genel Başkan adayımız ol" dedi. "Sen daha çok derleyici, toparlayıcı olabilirsin. Üslubun daha yumuşak. Hepimiz elbirliğiyle senin için çalışacağız " dedim. Kabul etti.

"Siz böyle diyorsanız,

Genel Başkan adayımız Abdullah Gül'dür" dediler...

Bir sene falan biz kendi aramızda kongreye yönelik neler yapabiliriz; hem dış dünyaya, hem parti içerisine yönelik hangi mesajları verebiliriz; bundan sonraki hareket hattımız ne olacak?... Bunları konuşmuştuk. Sonra bu kararımızı diğer arkadaşlarımıza açtık. Onlar da sevindiler, memnun oldular. "Beni isteyenler daha çok vardı... Onu isteyenler daha çok vardı..." Bu tartışmaları kapattık. "Biz ikimiz karar verdik. Ben Genel Başkan adayı olarak Abdullah Bey'i gösteriyorum. Siz ne diyorsunuz?" dedim. Onlar da, "Siz böyle diyorsanız, Genel Başkan adayımız Abdullah Gül'dür" dediler. O zamanlar Melih Gökçek de gelip gidiyordu. Onun da farklı düşünceleri olabilirdi. Bir başka grup farklı şey düşünebilirdi. Benim üslubumun biraz sert olduğunu filan söylerdi. Ama teşkilatın benden daha çok etkilendiğini de eklerdi. Ben kendimi bir kenara koydum. Ben yolu açtım sadece...

Parti içindeki mücadelemiz bir kavga değil, birbirimizi tepelemek, birbirimizi yok etmek hiç değildi... Biz kongreye giderken partinin daha büyük bir zenginlik kazanmasını, bu partiye bir kalite gelmesini, partinin kendi içinde bir değişimi sağlaması için mücadele ediyorduk. Gözümüz dışarıda değildi. O zaman şöyle bir propaganda vardı: "Bunlar bu partiyi bölecekler. Kongreden sonra ayrılacaklar..." Bunun hiçbir şekilde doğru olmadığını göstermeliydik. Evet, hepimiz yemin etmiştik. Parti, bizim partimizdi. Başka gideceğimiz bir yer yoktu.

"Siz kazanırsanız, biz bu partiden ayrılırız."

Bir ara bana çok güçlü bir kişiden haber geldi. Özellikle dediler ki, "Evet, Recai Kutan kazanırsa, sizin partiden ayrılmayacağınızı biliyoruz. Ama siz kazanırsanız, biz bu partiden ayrılırız." "Neden?" "Çünkü Hoca başka bir parti kurar, bize orayı işaret eder. Biz de oraya gideriz" dediler. "Olur mu? Parti hepimizin değil mi? Biz sadece kongrede rekabet yapıyoruz. Bu bir yarıştır. Niye bölüneceksiniz?" dedim. "Hocamız liderdir. O kendi istediğinin olmadığı bir yerde durmaz, bizi de tutmaz" dediler. O zaman anladım ki, bir tehlike var. Böyle bir olayı ben, camianın bölünmesi açısından tehlike olarak gördüm. Bir bakıma Fazilet Partisi'nin Abdullah Gül'le beraber yeni bir yönetimle yoluna devam etmesi olabilirdi. Ayrılanlar başkaları olurdu. Kalan büyük çoğunluk bizimle beraber devam ederdi. Ama ısrarları vardı. "Gelin, bundan vazgeçin" demeye getiriyorlardı.

Doğruluğunu kabul ettiği şeyleri yapmıyordu, yapamıyordu...

Partinin İçine Virüs Girdi

Abdullah Gül, Fazilet Parti'si içindeki ayrışmadan Abdulkadir Aksu, Cemil Çiçek, Ali Coşkun'un suçlanma olaylarını anlatıyordu.

"Seçim mağlubiyetinden sonra Bülent Bey olup bitenlere isyan şeklinde kendi bölgesinde, Manisa'da Genel Başkanlığa adaylığını açıkladı. Aday imasının altındaki gerekçe de, bütün ikazlara rağmen yapılan yanlışlara isyandan geliyordu ve "Kongrede yapılan yanlışları açıkça konuşacağım" diyordu. Bu süreçten sonra dava ahlakından ileri gelen bir yaklaşımla o güne kadar dışarı sızdırmadığımız, hep parti organlarında konuştuğumuz meseleleri, bundan sonra kamuoyuyla paylaşır hale gelmiş olduk. Gerçekten de parti içindeki bütün toplantılarda bugün söylediklerimizin çok daha ilerisini söylerken, bunların hiç birini dışarıya sızdırmadık.

Her ne kadar daha sonra arkadaşlar bu ahlaki davranışımızı bir zaaf olarak gösterdilerse de, özellikle kongre sırasında, "Şimdiye kadar niye konuşmadınız?" deseler de, biz bunları Başkanlık Divanı'nda ve Genel İdare Kurulu'nda çok defa söylemiş, ama dışarıya sızdırmamıştık. Yalnız ben, gurup toplantılarında yakışık almayacağı için konuşamazdım. Hatta bazı arkadaşlar "Sen gurupta niye konuşmuyorsun diye" bana çok kızardı. Ben de kendime yediremezdim. Hem Genel Başkan Yardımcısı olacaksın, hem de çıkıp gurupta konuşacaksın! Olmazdı. Azmi Ateş açık seçik konuşurdu. Recai Bey de bütün bunların farkındaydı. Söylediklerimizin doğruluğunu kabul ederdi açıkçası. Burada söylemem ne kadar doğru olur, bilmiyorum; ama, doğruluğunu kabul ettiği şeyleri yapmıyordu, yapamıyordu; sebeplerini biliyorsunuz.

"Partinin içine virüs girdi."

Seçim sonuçlarından sonra ilk Başkanlık Divanı toplantısında Aydın Menderes Bey ve biz, "Seçim mağlubiyetinden bir sorumluluğumuz yok, ama mademki resim görevlerimiz var, müsaade edin istifa edelim" dedik. "Yeni arkadaşlarımıza görev verilsin. Hiç değilse kamuoyuna karşı böyle bir görevi yerine getirmiş olalım" dedik. Recai Bey buna çok karşı çıkarak, "Bu yeni bir çalkantıya sebep olur" dedi. Daha sonra biz devam etmeye başladık, ama bu arada seçim mağlubiyeti çok farklı gerekçelere yüklenmeye başlandı.

Parti içerisinde Abdülkadir Bey, Cemil Bey ve Ali Coşkun Bey gibi ANAP'tan gelen arkadaşlara büyük haksızlıklar yapıldı. Başarısızlıkları gölgelemek için "Partinin içine virüs girdi" gibi laflar edilmeye başlandı. Bu ve bu gibi laflar ahlaki değildi. Doğru da değildi. O arkadaşların bir sıkıntısı vardı. ANAP'ta iken bunlara "Refahlı" denirdi; bize geldiler, "Anaplılar" denilmeye başlanıldı. Halbuki Abdülkadir Bey'in İç İşleri Bakanı olarak bu ülkeye yaptığı hizmeti çok az bakan yapmıştır. Ali Coşkun Bey, içi dışı aynı olan bir insandır. Odalar Birliği gibi Türkiye'nin en önemli bir kuruluşunda başkanlık yapmış birisidir, iş hayatının içindedir. Cemil Bey devamlı okuyan ve yazan bir arkadaşımızdır. Refah Partisi'ndeyken Erbakan Hoca'ya bir nevi danışmanlık yapmıştır. O zamanlarda Erbakan Hoca'ya yazılar yazar, önerilerde bulunurdu. Bütün bu laflarla büyük haksızlıklar yapıldı. Daha sonra partiyi çok daha kontrol altına alınması için, teşkilatların yanında "izleme komiteleri" adı altında çeşitli komiteler oluşturuldu. Bunlar da sıkıntı yarattı. Bunlar aslında günlük meselelerdi. Esas problem şuydu bence...

Biz niçin siyaset yapıyoruz; buna bakmak gerekiyordu. Siyaset yapmakta, parti kurmakta amaç, Erbakan Hoca'nın, bizlerin ayrıcalıklı durumda olmamız mı? Yoksa siyasetle bu millet adına bazı kazanımlar elde etmek mi? Benim başından beri kafamdaki soru budur. Genel Başkanlığa adaylığım, kongredeki konuşmam hep bunun üzerinedir. Genel İdare Kurulu toplantılarındaki konuşmalar artık iyice kutuplaşmaya başlayınca, "Bu şekilde gitmeyecek" denildi. Bizler de çok yakışık almayan bir şekilde suçlanmaya başlanmıştık. Bunun üzerine, "Partide huzur olsun" dedik ve Başkanlık Divanı'ndan ayrılmak istedik. Hatta bu kararımız Recai Bey'e söylendiğinde, bunu arzular bir tavır içerisinde olduğunu anladık. Her ne kadar Recai Bey Bana "Sen istifa etme, seninle birlikte çalışmak isterim" dedi, ama aynı düşünceleri söyleyen, aynı yanlışları dile getiren, aynı önerilerde bulanan insanlar olarak beraberce karar vermiştik. Çünkü bu kutuplaşma artık tadını kaçırıyordu. Partinin malları hususunda da bizim çok itirazlarımız vardı. Biz her şeyin Recai Bey'in kontrolünde olmasını arzu ediyorduk. Bu konuda bir sürü problem vardı. Onun üzerine biz Başkanlık Divanı'ndan ayrıldık..."

Mayasız Ekmek

Yeniçağ Gazetesi'nden Aslan Bulut 25 Nisan 2007 tarihinde Abdullah Gül'ün CIA Ortadoğu Masası Şefi Graham

Fuller ile olan görüşmesini ve Erbakan'ın Gül ile ilgili değerlendirmelerini yazıyordu:

"Yaklaşık 12 yıl önce İstanbul'da bir Kafkaslar Toplantısı düzenlenmişti! Toplantıya gazeteci olarak davetliydim. Graham Fuller de oradaydı. Kendisinden bir röportaj da talebim oldu, kabul etmedi. Ertesi gün, Yeni Şafak Gazetesi'nde Graham Fuller ile yapılmış bir röportaj çıktı! Bunun üzerine istihbarat servisleri ile diyalogu iyi olan bir muhabire görev verdim. Graham Fuller, konferanstan ayrıldıktan sonra nereye gitmiş ve kimlerle görüşmüştü? Bunu araştırmasını istedim. Kısa bir süre sonra bilgi geldi: Graham Fuller, Topkapı'daki Yeni Şafak Gazetesine gitmiş, röportajdan sonra o zaman gazetenin üst katında bulunan Refah Partisi İstanbul İl Başkanlığı'nda Abdullah Gül ile görüşmüştü.

Yıllar sonra bu durum Prof. Dr. Necmettin Erbakan'a "Neden böyle oldu? Bu kadrolar, nasıl böyle birdenbire değişim gösterdi? Siz, hepsinin hocası olarak onların bu değişimini nasıl değerlendiriyorsunuz?" diye sorulduğunda şu cevabı veriyordu.

"Bu arada önemli husus şudur: Maya çok mühim bir şey. Mayasız ekmek olmaz. O cevher sizde yoksa, ekmeği yapamazsınız."

Gül'ün ABD Vatandaşlığı

10 Mayıs 2000 tarihli, Elazığ'da yayınlanan ve Erbakan'a yakınlığı ile bilinen El-Aziz Gazetesi'nden Vahit Şekerci; "Gül

Amerikan vatandaşı olduğunu neden gizliyor" başlığı altında Abdullah Gül'ün de, Tayyip Erdoğan'ın da ABD vatandaşı olduğunu yazıyordu:

"1997'nin başlarında, önce Tayyip Erdoğan Amerikan rüyasını gerçekleştirdi ve ABD vatandaşlığına geçti. Erdoğan'ı daha sonra Abdullah Gül izledi ve böylece Gül için ABD serüveni başlamış oldu..."

Bu olayı hocalarına sorduğumda acı acı gülümsedi ve başını salladı.

Gül ve Tayyip'in Dostları

CIA Ortadoğu Masası Şeflerinden Graham E. Fuller ve Ian O. Lesser tarafından yazılan ve bir Rand Çalışması diye lanse edilen "Türkiye'nin Yeni Jeopolitik Konumu" adlı kitapta ülkemizin bölünmesi için her türlü yol ve yöntem gösteriliyor, bu uğurda tüm kışkırtmalar eksiksiz yapılıyordu. Bu tür çalışmalar onlarca değil, yüzlerce değil, binlerce olmasına rağmen bunlara karşı hiçbir tedbir alınmıyordu. Kitabın 28. sayfasında "Kürt Sorunu" başlığı altında şu görüşler aktarılıyordu:

"...Kürt Sorunu

Kürt nüfusla ilgili politikaları başarıyla belirlemesi, Türkiye'nin 1990'larda karşılaşacağı belki de en önemli sorun olacaktır. Klasik Atatürkçü tavır sadece Hıristiyanların resmi azınlık statüsüne sahip olduğu ve Müslümanların azınlık olarak kabul edilemeyeceği geçerliliğini yitirmiştir. Cumhuriyetçi yaklaşım esas olarak Osmanlının Müslümanlar arasında İslam'ın milliyet farkından önce geldiği ilkesinin bir devamı niteliğinde olup, Türkiye Cumhuriyeti'nin Türklük konusundaki temel milliyetçi vurgusu ve din vurgusunu yapmasıyla her zaman çelişmektedir.

Türkler, Kürtler hakkında pek az bilgiye sahiptir. Aynı şey diğer herkes için de geçerlidir. Rakamlar sekiz ile yirmibeş milyon arasında değişmektedir. Bunlardan ne kadarı Kürtçe konuşmaktadır? Ne kadarı Türkçe bilmektedir? Türkiye'de her beş yılda bir yapılan yüksek kalitedeki oy sayımlarında etnik kimlik veya konuşulan dil ile ilgili bilgi toplanmamaktadır. Gerek Türkler gerekse yabancılar Kürtleri etnolinguistik, sosyolojik, ekonomik veya siyasal bir bakış açısıyla incelemekten resmi olarak caydırılmaktadır, hatta engellenmektedir.

1950'lerin sonlarından itibaren Türk ve yabancı yazarlar ile akademisyenler Batı ve Orta Türkiye'deki topluluklar hakkında önemli ölçüde sosyopolitik literatür üretmelerine rağmen, Kürtlere veya ülkenin doğusundaki sosyopolitik ve etnik ilişkilere dair mukayeseli bir literatür mevcut değildir. Kürtlerle ilgili dış kaynaklı yazılan büyük çoğunluğu yüzeysel ve partizan bir nitelik taşımaktadır. Ve konu bugün şaşırtıcı olmayan biçimde propagandaya kaymıştır.

Yakın tarihlere kadar Kürtler konusunda Türk resmi politikası dar ve katı bir nitelik taşımaktaydı. Şüphesiz Türkiye'deki Kürtlerin tüm Anayasal haklara sahip oldukları ve bu hakların (ki İran, Irak ve Suriye'deki Kürtlerin çoğu bu haklara sahip değildir) anlamlı olduğu bir gerçektir. Uzun zamandan beri çok sayıda Kürt hükümet ve askerlik hizmetleri de dahil Türkiye'deki hayatın her alanında aktif biçimde yer almaktadır. Kürtler ülke içi veya dışına seyahat etme, istedikleri yerde ikamet etme ve siyaset ve sivil toplum kuruluşlarında faaliyet gösterme gibi konularda tüm Türk vatandaşlarıyla aynı haklara sahiptirler. Ama Kürt olarak değil..."

Graham Fuller kitabın 33. sayfasında "Kürtlerin modern Türk toplum alaşımı içinde eritildiği hezeyanlarında bulunuyor, şöyle diyordu:

"Kürtler sayıca fazla olmakla birlikte modern Türk toplum alaşımı içinde eritilen tek Müslüman etnik grup değildir. Türkmenler ve Yörükler gibi saf Türki gruplar da mevcuttur. Karadeniz sahillerinde Lazlar yaşamaktadır. Bunlar eski Gürcülerle bağlantılı bir alt grup olup, esas olarak, çoğunluğu Müslüman olduğu için 1920 yılında kendi "özerk" cumhuriyetlerini kurmalarına izin verilen Gürcistan Ajarlarıyla aynı halktır. Ayrıca Kuzeydoğu'nun iç kesimlerinde Gürcü diline çok yakın bir lehçeyi kullanan yüz binlerce Müslüman Gürcü de yaşamaktadır..."

Amerika Dış İştihbarat Örgütü CIA'nın Ortadoğu Masası Şefi ve AKP'nin kurulmasında etkin rol oynayan, Gül ve Erdoğan'ın yakın dostu Fuller, PKK terör örgütü için, "Türk Kürtlerinin radikal bağımsızlık örgütü Kürt İşçi Partisi", PKK militanları için, **"Kürt gerilla unsurları"** deme cüretini gösteriyordu:

"Ancak geçmiş on yılda Türkiye'de Kürt konusu daha belirgin bir hal almıştır. İran-Irak savaşının bölgedeki **Kürt geril-**

la unsurlarını çatışmaya sürüklemesi kaçınılmaz olarak Türkiye'deki Kürt nüfusunu da etkilemiştir. Saddam Hüseyin'in bu savaşta kendi ülkesinin Kürt nüfusuna karşı kimyasal silah kullanması uluslararası kaygıları daha da artırmıştır. Savaşın sonunda Saddam Hüseyin'in Kürt köyleri ve insanlarına karşı yaygın intikam operasyonları uygulaması sonucu on binlerce insan kaybolmuş veya ölmüştür.

Kısmen Irak'ın PKK'nın Türkiye aleyhine operasyonlarını düzenlediği, Kuzey Irak'ı yeterince kontrol edememesi ve Suriye'nin de Lübnan'daki PKK eğitim kamplarını desteklemesi sonucu **Türk Kürtlerinin radikal bağımsızlık örgütü Kürt İşçi Partisi (PKK)** bu dönemde ön plana çıkmaya başlamıştır. Türkiye, İran ve Iraklı Kürtler, sadece aralarındaki görüş alışverişi ve dayanışmayı artırmak amacıyla değil, aynı zamanda fikir ve yayınlarını propaganda etmeye başlamak amacıyla bölge dışında ve özellikle de Batı Avrupa'da daha fazla bir araya gelme imkanı bulmuşlardır. Bunun yanında şikayetleri konusunda Avrupa Topluluğu'na baskı yaparak Avrupalıların Kürtlere olan ilgisinin daha da artmasını sağlamışlardır; Türkiye NATO üyesi olması hasebiyle bu açıdan yapılan eleştirilere özellikle muhatap kalmıştır..."

Cumhurbaşkanlığı adaylığı

Cumhurbaşkanlığı seçimleri yaklaştığında herkeste bir heyecan başlıyordu. AKP seçim sathı sırasında kendince değişik bir taktik uygulamış, görüştükleri; general, üst düzey hakim, savcı ve bürokratlar ile bir çok kişiye cumhurbaşkanlığı vaadinde bulunmuşlardı. Aday belirleme zamanı yaklaştıkça bir çok isimde hareketlenme başlamış, aile saadetini gösteren fotoğrafların çekilmesini, "Duacıların yanındayım" sözleri izlemişti.

Son günlere kadar aday tahminleri sürmüş, tahminciler arasında Beşir Atalay "Gül" diyerek doğruyu bulmuştu.

Tayyip, Cumhurbaşkanlığına aday gösterdiği ve "kardeşim" diye açıkladığı Abdullah Gül adını işaret ettiğinde takvim yaprakları 24 Nisan 2007'yi gösteriyordu. Yani sözde Ermeni soykırım gününü.

Tayyip, Abdullah Gül ismini açıkladığında adaylık bekleyenlerden Köksal Toptan, hastanelik olmuş, Nimet Çubukçu hastalanmış, Vecdi Gönül ise gazetecileri azarlamıştı. Ya diğerleri?..

Adayın açıklanmasının ardından 367 tartışmaları alevlenmişti. Gül destek için partileri ve bağımsız milletvekillerini gezmiş ancak daha önce horladıkları bu isimlerden destek bulamamıştı.

Oylama günü Arınç şovla geçmiş yeterli sayıya ulaşılamamıştı. CHP, Anayasa Mahkemesi'ne giderken Gece yarısına doğru Genelkurmaydan zehir zemberek bir muhtıra gelmişti.

27 Nisan 2007 tarihinde gece saat 23.40'da "Genelkurmay Başkanı Orgeneral Yaşar Büyükanıt Türkiye Cumhuriyeti'nin sahipsiz olmadığını vurgulayarak şu muhtıra gibi açıklamayı yapıyordu:

"Türkiye Cumhuriyeti devletinin, başta laiklik olmak üzere, temel değerlerini aşındırmak için bitmez tükenmez bir çaba içinde olan bir kısım çevrelerin, bu gayretlerini son dönemde artırdıkları müşahede edilmektedir. Uygun ortamlarda ilgili makamların, sürekli dikkatine sunulmakta olan bu faaliyetleri; temel değerlerin sorgulanarak yeniden tanımlanması isteklerinden, devletimizin bağımsızlığı ile ulusumuzun birlik ve beraberliğinin simgesi olan milli bayramlarımıza alternatif kutlamalar tertip etmeye kadar değişen geniş bir yelpazeyi kapsamaktadır.

Bu faaliyetlere girişenler; halkımızın kutsal dini duygularını istismar etmekten çekinmemekte, devlete açık bir meydan okumaya dönüşen bu çabaları din kisvesi arkasına saklayarak, asıl amaçlarını gizlemeye çalışmaktadırlar. Özellikle kadınların ve küçük çocukların bu tür faaliyetlerde ön plana çıkarılması, ülkemizin birlik ve bütünlüğüne karşı yürütülen yıkıcı ve bölücü eylemlerle şaşırtıcı bir benzerlik taşımaktadır.

Bu bağlamda;

Ankara'da 23 Nisan Ulusal Egemenlik ve Çocuk Bayramı kutlamaları ile aynı günde Kuran okuma yarışması tertiplenmiş, ancak duyarlı medya ve kamuoyu baskıları sonucu bu faaliyet iptal edilmiştir.

22 Nisan 2007 tarihinde Şanlıurfa'da; Mardin, Gaziantep ve Diyarbakır illerinden gelen bazı grupların da katılımı ile, o saatte yataklarında olması gereken ve yaşları ile uygun olmayan çağ dışı kıyafetler giydirilmiş küçük kız çocuklarından oluşan bir koroya ilahiler okutulmuş, bu sırada Atatürk resimleri ve Türk bayraklarının indirilmesine teşebbüs edilerek geceyi

tertipleyenlerin gerçek amaç ve niyetleri açıkça ortaya konulmuştur.

Ayrıca, Ankara'nın Altındağ İlçesi'nde "Kutlu Doğum Şöleni" için ilçede bulunan tüm okul müdürlerine katılım emri verildiği, Denizli'de İl Müftülüğü ile bir siyasi partinin ortaklaşa düzenlediği etkinlikte ilköğretim okulu öğrencilerinin başları kapalı olarak ilahiler söylediği, Denizli'nin Tavas İlçesi'ne bağlı Nikfer beldesinde dört cami bulunmasına rağmen, Atatürk İlköğretim Okulu'nda kadınlara yönelik vaaz ve dini söyleşi yapıldığı yolunda haberler de kaygıyla izlenmiştir.

Okullarda kutlanacak etkinlikler, Milli Eğitim Bakanlığı'nın ilgili yönergelerinde belirtilmiştir. Ancak, bu tür kutlamaların yönerge dışı talimatlarla yerine getirildiği tespit edilmiş ve Genelkurmay Başkanlığı'nca yetkili kurumlar bilgilendirilmesine rağmen herhangi bir önleyici tedbir alınmadığı gözlenmiştir. Anılan faaliyetlerin önemli bir kısmını bu tür olaylara müdahale etmesi ve engel olması gereken mülki makamların müsaadesi ile ve bilgisi dahilinde yapılmış olması meseleyi daha da vahim hale getirmektedir. Bu örnekleri çoğaltmak mümkündür.

Cumhuriyet karşıtı olan ve devletimizin temel niteliklerini aşındırmaktan başka amaç taşımayan bu irticai anlayış, son günlerdeki bazı gelişmeler ve söylemlerden de cesaret almakta ve faaliyetlerinin kapsamını genişletmektedir.

Bölgemizdeki gelişmeler, din ile oynamanın ve inancın siyasi bir söyleme ve amaca alet edilmesinin yol açabileceği felaketlerin ibret alınması gereken örnekleri ile doludur. Kutsal bir inancın üzerine yüklenmeye çalışılan siyasi bir söylem veya ideolojinin inancı ortadan kaldırarak, başka bir şeye dönüştüğü, ülkemizde ve ülke dışında görülebilmektedir. Malatya'da ortaya çıkan olayın bunun çarpıcı bir örneği olduğu ifade edilebilir. Türkiye Cumhuriyeti Devleti'nin çağdaş bir demokrasi olarak, huzur ve istikrar içinde yaşamasının tek şartının, Devletin Anayasamızda belirlenmiş olan temel niteliklerine sahip çıkmaktan geçtiği şüphesizdir.

Bu tür davranış ve uygulamaların, Sn. Genelkurmay Başkanı'nın 12 Nisan 2007 tarihinde yaptığı basın toplantısında ifade ettiği "Cumhuriyet rejimine sözde değil özde bağlı olmak ve bunu davranışlarına yansıtmak" ilkesi ile tamamen çeliştiği ve Anayasanın temel nitelikleri ile hükümlerini ihlal ettiği açık bir gerçektir.

Son günlerde, Cumhurbaşkanlığı seçimi sürecinde öne çıkan sorun, laikliğin tartışılması konusuna odaklanmış durumdadır. Bu durum, Türk Silahlı Kuvvetleri tarafından endişe ile izlenmektedir. Unutulmamalıdır ki, Türk Silahlı Kuvvetleri bu tartışmalarda taraftır ve laikliğin kesin savunucusudur. Ayrıca, Türk Silahlı Kuvvetleri yapılmakta olan tartışmaların ve olumsuz yöndeki yorumların kesin olarak karşısındadır, gerektiğinde tavrını ve davranışlarını açık ve net bir şekilde ortaya koyacaktır. Bundan kimsenin şüphesinin olmaması gerekir.

Özetle, Cumhuriyetimizin kurucusu Ulu Önder Atatürk'ün, "Ne mutlu Türküm diyene!" anlayışına karşı çıkan herkes Türkiye Cumhuriyeti'nin düşmanıdır ve öyle kalacaktır.

Türk Silahlı Kuvvetleri, bu niteliklerin korunması için kendisine kanunlarla verilmiş olan açık görevleri eksiksiz yerine getirme konusundaki sarsılmaz kararlılığını muhafaza etmektedir ve bu kararlılığa olan bağlılığı ile inancı kesindir. Kamuoyuna saygı ile duyurulur..."

29 Nisan 2007 tarihli Zaman Gazetesi'ne demeç veren ABD Dışişleri Bakan Yardımcısı Dan Fried, ABD Dışişleri Bakanlığı'nın Avrupa Dairesi sözcüsü Terry Davidson, CIA cephesinden Marc Grossmann, ABD eski Dışişleri Bakan Yardımcısı Richard Holbrooke, CIA Ortadoğu Masası Şefi Morton Abramowitz, AKP'nin gönlünü ferahlatan açıklamalarda bulunuyorlardı. Şimdi bu açıklamalara bakalım:

"Genelkurmay Başkanlığı'nın açıklaması uluslar arası arenada yankılanırken Avrupa Birliği'ne oranla daha temkinli bir dil kullanan ABD, Türkiye'nin, siyasi sorunlarını laik demokrasi ve anayasa çerçevesinde çözmesi çağrısı yaptı. Reuter'a konuşan Dışişleri Bakan Yardımcısı Dan Fried, Türk demokrasisinin son yıllarda muazzam gelişme kaydettiğini ve ülkenin 1970-80'lere geri dönmeyeceğini söyledi. Fried, Amerika'nın AK Parti hükümeti ve Dışişleri Bakanı Abdullah Gül ile iyi bir işbirliği sergilediğini de vurguladı. Genelkurmay bildirisini eleştirip eleştirmeyeceği yönündeki ısrarlı sorulara ise "Biz taraf tutmuyoruz." diyen Fried, bu konuda yorum yapmasının fayda sağlamayacağını da vurguladı. Dışişleri Bakanı Yardımcısı, ülkesinde 2000'de yapılan başkanlık seçimlerinin de yüksek mahkemeye taşındığını hatırlatarak, bu konuda yorum yapma haklarının olmadığını vurguladı. ABD Dışişleri Bakanlığı'nın Avrupa Dairesi Sözcüsü Terry Davidson'da "ABD, Türkiye'nin laik demokrasisinin anayasal süreçlerini destekliyor." dedi. Cumhurbaşkanlığı seçimine ilişkin ABD hükümetinin görüşü şu cümlelerle ifade edildi: "Türkiye'nin Cumhurbaşkanlığı seçimlerine ilişkin herhangi bir soruda Türkiye anayasası ve diğer Türk kanunları çerçevesinde karar vermesi gereken Türk Anayasa Mahkemesi'dir."

Marc Grossmann, "28 Şubat süreci bir daha asla yaşanmaz" diyerek şöyle konuşuyordu:

"ABD eski Dışişleri Bakan Yardımcısı ve Türkiye Büyükelçisi Mark Grossmann, Türkiye'de cumhurbaşkanlığı seçimlerinin demokratik ve anayasal kurallar çerçevesinde gerçekleşmesi gerektiğini söyledi. Türkiye'de demokrasinin köklü bir geleneğe sahip olduğunu kaydeden Grossman, "28 Şubat'a benzer bir sürecin artık yaşanması mümkün değil. Türkiye 10 yıl öncesine göre çok temel farklılıklar arz ediyor. En önemli farklılık, artık çok daha demokratik." dedi. Grossman, Türkiye AB üyeliğine yaklaştıkça sivillerin asker üzerindeki kontrolünün artacağını Türk halkının da demokrasi istediğini vurguladı..."

Richard Holbrooke ise "Türkiye için büyük demokrasi imtihanı" demek suretiyle değişik bir açıdan rahatlatmaya gidiyordu:

"...ABD eski Dışişleri Bakan Yardımcısı Richard Holbrooke, gelişmelerin Türkiye için büyük bir demokrasi imtihanı olduğunu vurguladı. "Herkes demokratik sürece saygı göstermelidir. Türkiye'de dünyanın demokrasiye yönelik bir girişim olarak nitelendireceği bir girişim olursa, bu Türkiye'nin AB ümitleri için ciddi bir sorun teşkil edecektir." diyen Holbrooke, "Muhtemel bir askeri müdahale dünyanın en istikrarsız bölgelerinden birinde yer alan Türkiye'nin kritik rolüne yardımcı olmayacaktır" şeklinde konuştu. Richard Holbrooke, Abdullah Gül'ün çok başarılı bir dışişleri bakanlığı yaptığını da kaydetti..."

CIA Ortadoğu Masası şefi Morton Abramowitz ise "Laik çevrelerin endişeleri abartılı, ordu darbe yapmaz" diyor ve şöyle devam ediyordu:

"...ABD'nin Ankara Büyükelçisi olarak görev yapan Morton Abramowitz, laik çevrelerin AK Parti hakkındaki endişelerinin abartılı olduğunu söyledi. 1.Körfez Savaşı sırasında Ankara Büyükelçisi olarak görev yapan Abramowitz, Dış İlişkiler Konseyi adlı düşünce kuruluşuna yaptığı açıklamada, "Askerler, Erdoğan'dan hiç de memnun değiller. Olup bitenler de hoşlarına gitmiyor. Ama bu, bir darbe ya da benzer bir girişimde bulunacaklarını göstermez..." Zaman Gazetesi Abromowitz'in görüşlerini şöyle yansıtıyordu:

"...Abramowitz, cumhurbaşkanı adayı Abdullah Gül'ün de Batı'da uzlaştırıcı tutumlarıyla çok iyi tanındığını vurguluyordu. Türkiye'de bazı çevrelerin İslami Kanunların ülkede hakim olacağı konusunda derin endişeleri bulunduğuna değinen Morton Abramowitz, "Bence bu çok çok düşük bir ihtimal" dedi.

AK Parti'nin hükümeti, parlamento ve cumhurbaşkanlığına hakim olması durumunda tarihi bir dönüşüm yaşanacağı gerekçesiyle gerginliğin yaşandığını ifade eden Morton Abramowitz, "Ama onların icraatlarına bakmalısınız. Türkiye standartlarına göre çok başarılı bir hükümet. Laik devletin yapısında önemli bir değişiklik de yapmadılar. Zaten bunun önünde ordu da dahil birçok engel var" dedi. Abramowitz, ABD'nin demokratik yöntemlerle işbaşına gelen AK Parti hükümetinin iyi işler yaptığı görüşünde olduğunu ifade etti.

Türkiye'nin önceki hükümetler döneminde çektiği 1 milyar dolarlık yabancı yatırımın AK Parti döneminde 30 milyar dolara çıktığını vurgulayan Abramowitz, "Son 15 yılın hükümetlerini şimdikiyle kıyasladığımda gece ve gündüz gibi," ifadelerini kullandı..."

29 Nisan 2007 Akşam Gazetesi'nde AB Komisyonu'nun Genişlemeden Sorumlu Üyesi Olli Rehn "Demokraside müdahale olmamalı" diyor gazetede görüşleri şöyle yer alıyordu:

"Türk ordusunun profesyonelliğine ve uluslar arası barış gücü misyonlarına değerli katkısına saygı duyduklarını" belirtti. Rehn "Fakat AB üyesi olmak isteyen bir ülkede demokratik işleyişe müdahale etmemeleri gerektiğini bilmeleri gerekiyor" dedi.

Rehn Genelkurmay Başkanlığının açıklamasını derinlemesine inceleyeceklerini belirterek, bunun "zamanlamasını oldukça şaşırtıcı ve garip bulduğunu" kaydetti..."

Avrupa Parlamentosu Yeşiller Gurubu Üyesi Joost Lagendijk; "Türk ordusu ateşe benzin döktü" diyor ve şöyle devam ediyordu:

"Ordu tehdide yaklaşan bir sert açıklama yaptı. Bu açıklamasında, eğer cumhurbaşkanlığı seçimleri ve Anayasa Mahkemesi'nden istediği yönde bir karar çıkmaması halinde, askeri müdahale yapabileceği uyarısını getirmiş oldu. Bu mantıklı olanın dışında bir yaklaşımdır. Ordu; ortalığı sakinleştirmek yerine, ateşe benzin dökmeye karar verdi. Böylece Anayasa Mahkemesi'ne de baskı yapıyorlar. Kararı etkilemeye yönelik bir yaklaşım..."

Adaylıktan Çekilmeyeceğim

AB ve ABD'li dostlarından aldığı cesaretle açıklama yapan Gül, "Adaylıktan çekilmeyeceğim" diyordu. 30 Nisan 2007 tarihli Zaman Gazetesi Gül'ün açıklamasını şöyle veriyordu:

"Cumhurbaşkanı adayı, Dışişleri Bakanı Abdullah Gül, seçim sürecinin devam ettiğini, adaylığını geri çekmesinin söz konusu olmadığını söyledi. Gül, adaylığının bir gecede alınmış bir karar olmadığını da vurguladı. CHP'nin Anayasa Mahkemesi'ne yaptığı başvuruyu hatırlatan Gül, "Doğru olana Anayasa Mahkemesi karar verecektir, dolayısıyla onu saygıyla karşılamamız gerekiyor." dedi.

Dışişleri Bakanlığı'ndan ayrılışında basın mensuplarının Köşk seçimi ile ilgili sorularını cevaplayan Gül, şu değerlendirmeyi yaptı: "Cumhurbaşkanlığı seçim süreci devam ediyor. CHP, bugün karşılaştığımız gibi bir durum ortaya çıkarsa bunu Anayasa Mahkemesi'ne götüreceğini söylemişti. Adaylığım söz konusu olduktan sonra, kendilerine kamuoyu ile zaten bağladıkları için Yüksek Mahkeme'ye götürdüler konuyu. Dolayısıyla herhangi bir yorum yapmanın doğru olmadığı kanaatindeyim."

Abdullah Gül, Genelkurmay Başkanlığı'nın gece yarısı yaptığı açıklamayı nasıl değerlendirdiği ve adaylıktan çekilip çekilmeyeceğine ilişkin sorular üzerine adaylıkta çekilmesinin söz konusu olmadığını söyledi. Gül, adaylığına ilişkin kararın bir gecede alınmış olmadığının altını çizerken, bunun için uzun görüşmeler ve istişareler yapıldığını aktardı. Kulislerde. Gül'ün adaylığına, 23 Nisan günü Başbakan Tayyip Erdoğan ile Meclis Başkanı Bülent Arınç'ın görüşmesi sonrasında karar verildiği savunuluyordu..."

İşte Düşman

Genelkurmay Başkanlığı'nın muhtıra gibi açıklaması tam anlamıyla bu ülkenin sahipsiz olmadığını haykırıyor, düşmanın tarifini yapıyordu:

"Cumhuriyetimizin kurucusu Ulu Önder Atatürk'ün, "Ne mutlu Türküm diyene!" anlayışına karşı çıkan herkes Türkiye Cumhuriyeti'nin düşmanıdır ve öyle kalacaktır..."

Nedense bu sözler bana Tayyip Erdoğan'ın Ausburg'da söylediği sözleri hatırlatıyordu:

"Ne mutlu Türküm diyene ne demek? Sen 'Ne Mutlu Türküm Diyene' dersen, o da 'Ne Mutlu Kürdüm Diyene' der..."

Sadece o kadar mı, Abdullah Gül de Türklükten duyduğu rahatsızlığı şöyle dile getiriyordu:

"70 yılın çok büyük yanlışları olmuştur. Çukurca'da dağa "Ne mutlu Türküm diye" yazmışsınız. Hala Diyarbakır'ın ortasında bu tür sloganlar yazılıdır. Maalesef resmi ideoloji, Türk milliyetçiliği şeklinde kendisini, ırki taassup olarak tezahür ettirmiştir.."

AKP Hükümetinde Bayındırlık Bakanlığı yapan Zeki Ergezen de Türklüğü tahkir eden sözleriyle onlarla aynı kulvarda koştuğunu gösteriyordu: "...Gelin dağa taşa 'Ne mutlu Türküm' diye yazacağınıza- gelin dağa taşa "Ne Mutlu Müslümanım " diye yazalım.."

AKP'de "Ne Mutlu Türküm Diyene" sözünden rahatsız olan sadece bu isimler mi tabi ki hayır... Sağ baştan saymaya başlayın.

Bundan çok kısa bir süre önce yayına çıkan "Musa'nın Çocukları" adlı kitabımda "Kimsenin umutsuzluğa kapılmasına da gerek yok. Çünkü Kemal'in askerleri var oldukça görev devam edecek, bütün bunların hesabı gün gelecek sorulacaktır..." demiştik. Zaman çok geçmeden haklı olduğumuzu gösterdi... Evet gün gelecek hesaplar açılacaktır. O gün gelmektedir ve o gün çok yakındır.

İÇİNDEKİLER

iÇİNDEKİLER